LES RÊVERIES

DU

PROMENEUR SOLITAIRE

Published by the University of Manchester at The University Press
316–324 Oxford Road, Manchester 13

J.J. ROUSSEAU.

FRENCH CLASSICS

General Editor : EUGÈNE VINAVER

J.-J. Rousseau

LES RÊVERIES
DU
PROMENEUR SOLITAIRE

avec introduction et notes de

ROBERT NIKLAUS

EDITIONS
DE L'UNIVERSITE DE MANCHESTER

First Printed 1942.   *Second edition* 1946.
Reprinted 1952

INTRODUCTION

Les *Rêveries* forment le testament spirituel de Rousseau. Commencées dans l'automne de 1776, elles furent interrompues en avril 1778, deux mois avant sa mort. Rousseau se rendait bien compte qu'il écrivait là son dernier ouvrage ; aussi, dans son égoïsme foncier et transcendant, a-t-il voulu une dernière fois, et plus clairement que jamais, fixer, pour lui sinon pour les autres, le mécanisme de son cœur. A la veille de comparaître devant Dieu, il laisse les détails matériels de sa vie s'estomper dans son souvenir ; il se détache de ce monde, de son corps qui l'offusque, pour contempler son âme *sub specie æternitatis*.

Comprendre les *Rêveries*, c'est connaître Rousseau — non seulement le Rousseau des dernières années, mais son « moi » profond et durable, avec ses puissances latentes, ses contradictions, ses faiblesses et sa grandeur — tant les *Rêveries* sont intimement liées à la vie inconsciente de leur auteur. Elles sont le chef-d'œuvre de Rousseau en ce sens qu'elles sont un dernier regard jeté sur le passé, le dernier mot sur son expérience d'homme, le couronnement de l'édifice des *Confessions* qu'il avait dressé à sa mémoire.

Dans les *Confessions* cette existence nous apparaît dans toute sa variété. L'activité littéraire s'y révèle un peu comme un hasard heureux et la vie profonde s'y joue sur des plans divers ; mais une sensibilité aiguë exerce sur cette vie multiple une influence dominante. Pour mieux apprécier la portée des *Rêveries*, cet ultime commentaire sur la vie, il faut refaire avec l'auteur les étapes de son existence en relisant ses *Confessions* où, à côté des faits exacts ou controuvés, ont été consignées avec une vérité saisissante les données psychologiques qui seules importent parce qu'elles sont plus réelles que les faits. Elles représentent à ce titre un document de haute valeur parce que, dans cette hagiographie déguisée, Rousseau nous livre la clé de son esprit, de sa façon personnelle de déformer la réalité au profit du rêve.

Nous ne referons pas avec Rousseau son long pèlerinage à travers la vie [1] ; il nous faut, cependant, dégager l'esprit général des *Confessions*. Dans cet ouvrage de longue haleine, Jean-Jacques songe au public qu'il espère atteindre et auprès duquel il voudrait justifier ses actions. Malgré un louable effort de sincérité absolue, il ne peut s'empêcher de constituer un personnage légendaire, qui n'est pas sans grandeur, et qu'il voudrait que l'on prît pour le vrai Jean-Jacques. L'aveu de ses fautes, de ses bassesses, ne fait que rehausser l'intérêt du personnage. Si nous approfondissons l'esprit de Rousseau en 1765, au moment où, à Môtiers-Travers, il commence à rédiger ses *Mémoires*, comme il les appelle alors, nous reconnaissons en lui un malade victime d'une sensibilité ombrageuse qui lui fait voir partout la trame d'un vaste complot que ses ennemis, les Encyclopédistes, auraient ourdi contre lui. C'est d'abord pour se défendre contre eux et pour faire son apologie qu'il prend la plume. Il tient par-dessus tout à laver sa réputation de toute souillure, à défendre ses idées sur l'homme, sur la nature, et sur Dieu. Il met à ce plaidoyer éloquent ses talents d'observateur, d'analyste minutieux, toute sa logique, là où peut-être il n'y en a point qui vaille, et il se torture lui-même pour se trouver tel qu'il voudrait être.

Or dans la pensée de Rousseau, les *Confessions* ne suffisent pas. Il continue à ressasser ses malheurs ; son esprit actif coordonne les éléments divers de la persécution dont il serait l'objet. Son expérience malheureuse en Angleterre où l'introduit Hume l'amène proche de la folie. De retour à Paris, en 1770, il s'inquiète de ne plus voir de signes du fameux complot. C'est au fort de sa hantise qu'il travaille aux *Dialogues*. Il donne libre cours à son imagination, à sa verve logique ; et il met toute sa ferveur à une intention unique : se disculper, se défendre d'avoir été un méchant, se justifier aux yeux de la postérité et du

---

[1] La chronologie que nous donnons en appendice servira à rappeler les dates principales de la vie de Rousseau. Si sèche et si dénuée de substance qu'elle soit, elle suffira à indiquer les vagabondages extraordinaires d'un promeneur infatigable, d'une âme toujours errante.

Juge suprême qu'il discerne en lui-même. Pendant quinze ans, il lui a fallu méditer sur ce seul sujet. Il imagine un dialogue entre *Jean-Jacques* et *le Français* qui est l'ennemi de *Jean-Jacques*, sans l'avoir jamais rencontré, et sans avoir lu une ligne de ses œuvres ; *Jean-Jacques* en appelle à un Juge qui n'est autre que *Rousseau*. Dans ce dédoublement il est piquant de retrouver les liens étroits qui unissent *Jean-Jacques* à *Rousseau*. Esprit non prévenu, *Rousseau* s'efforce d'être impartial et de voir clair. Sachons gré à l'auteur de l'effort qu'il a fait pour sortir de lui-même et pour s'observer du dehors. Jamais le délire de la persécution n'a été décrit avec une minutie plus scrupuleuse. Le style lui-même, haletant, dur, pénible à côté de celui des *Rêveries*, témoigne d'une puissance dialectique qui effraie.

On retrouvera dans les *Rêveries* les thèmes des *Dialogues*, aussi bien que ceux des *Confessions*. Cependant, pour bien marquer, au préalable, tout ce qu'a de neuf l'état d'esprit de Rousseau durant les années où il écrit ses *Rêveries*, rappelons l'incident singulier qui semble marquer un tournant dans sa vie. Rousseau avait fait plusieurs copies de son manuscrit des *Dialogues*, tant il tenait à cette pièce justificative maîtresse. Comme il se méfiait de tous ses amis, il alla déposer son manuscrit, le 24 février 1776, sur le maître-autel de Notre-Dame. Il trouva les grilles du chœur fermées. Jean-Jacques interprète aussitôt ce fait comme un acte de Dieu. Désemparé, il compose encore une circulaire qu'il distribue aux passants dont la mine lui revient : *A tout Français aimant encore la justice et la vérité*. C'est alors, au paroxysme de son délire, au moment où plus aucune action efficace n'est possible, où l'espoir s'enfuit à tire-d'aile, que se produit le miracle. Rousseau trouve le calme après la tempête, l'état d'euphorie auquel son âme aspire. Enfin il se détache, s'élève au-dessus des tracas de sa vie personnelle, des inquiétudes, des soucis, qui, sans son imagination fébrile, disparaîtraient peut-être entièrement. Son cœur, qui s'est purifié « à la coupelle de l'adversité », se résigne. Il se soumet à la volonté de Dieu. A l'âge de soixante-cinq ans, le renoncement à l'estime de ses contemporains et à l'approbation de la postérité le délivre de l'angoisse. « Tout est fini pour moi sur la terre. On ne peut plus m'y faire ni bien ni mal. Il ne me reste plus rien à espérer ni à craindre en ce monde, et m'y voilà tranquille au fond de l'abîme, pauvre mortel infortuné, mais impassible comme Dieu même.» Son agoraphobie (8ᵉ promenade), sa méfiance à l'égard de ceux qui lui rendent visite ou lui envoient des livres (4ᵉ et 9ᵉ promenades), son besoin de se justifier auprès des hommes et de lui-même renaissent par instants ; mais ailleurs il se laisse aller avec une ingénuité touchante à des joies puériles, comme lorsqu'il distribue à la porte Maillot des oublies à tout un pensionnat (9ᵉ promenade). Le renoncement à l'activité physique, intellectuelle et sentimentale lui procure cette paix voisine de la mort qui résonne comme un glas dans les plus belles pages des *Rêveries*.

Rousseau, comme il nous l'apprend dans sa première rêverie,[1] veut écrire l'histoire de son âme et traduire sa vie intérieure. Dans une intention égoïste, il veut fixer par l'écriture ses sensations, ses souvenirs. Comme l'auteur est un musicien, et que la musique rend mieux qu'aucun autre art les aspirations et le vague de l'âme, ainsi que les moments d'extase, son œuvre prendra inconsciemment la forme d'une symphonie. Inutile cependant de chercher dans les *Rêveries* une composition rigoureuse, ni de voir une progression là où leur auteur s'attache surtout à noter des moments successifs, des états d'âme inspirés par tel événement extérieur, ou le souvenir de quelque sentiment passé. Chaque promenade, il est vrai, gravite autour d'une idée, d'un souvenir, d'une émotion précise ; mais il est préférable de s'attarder à dégager certains thèmes qui reviennent incessamment, parce qu'ils sont l'essentiel de son message spirituel : son isolement, sa résignation, ses réflexions sur la vieillesse, son amour des hommes et son mépris des hommes, sa grande tendresse, sa confiance en Dieu, son amour de la nature. C'est par la rêverie qu'il vit, et ce sont des rêveries qu'il cherche à provoquer. « Ces heures de solitude et de méditation », nous dit-il, « sont les seules de la journée où je sois pleinement moi, et à moi sans diversion, sans obstacle, et où je puisse véritablement dire être ce que la nature a voulu.»

Dans la solitude où il se complaît, la pensée de Dieu le

[1] « Livrons-nous tout entier à la douceur de converser avec mon âme, puisqu'elle est la seule que les hommes ne peuvent m'ôter » (p. 8).

pénètre de plus en plus ; [1] il aime à s'abandonner à Dieu
au sein duquel il se retrouve. L'idée de la Providence paraît
dès la première promenade, mais c'est dans la troisième
qu'elle prend toute son ampleur. Son déisme est encore
celui de la *Profession de foi du Vicaire savoyard* ; il est fondé
sur la conscience et la raison, et surtout sur le sentiment.
Si Rousseau est dévot, c'est à la manière de Fénelon. Il ne
développe pas ses idées à grand renfort d'arguments nouveaux ; elles sont devenues partie intégrante de son être, si
bien qu'il n'éprouve plus le besoin de les démontrer. Cette
dernière profession de foi ne retient plus que « le résidu
sentimental d'un effort intellectuel », selon l'expression si
juste de M. Masson. Du reste, Rousseau nous déclare lui-
même : « Je me refuse ainsi à toutes nouvelles idées comme
à des erreurs funestes qui n'ont qu'une fausse apparence et
ne sont bonnes qu'à troubler mon repos.» L'atmosphère
spirituelle qui naît de cet élan spontané vers Dieu confère à
sa doctrine une valeur d'action puissante sur les cœurs.
« On se défend difficilement de croire ce qu'on désire avec
tant d'ardeur », nous dit-il encore. Il est si convaincu de
son salut, si heureux d'échapper à ses persécuteurs, que sa
joie se communique au lecteur. Mais l'humilité du pécheur
repentant lui fait encore défaut.[2] Au lieu de se perdre dans
la divinité, il tâche de se retrouver en elle, tant son âme a
soif de jouissance. Le plaisir que prend à s'analyser un
esprit qui se replie sur lui-même est une séduction à laquelle
il ne saurait opposer d'obstacle. Son expérience religieuse,
qui par raffinement d'égoïsme exclut l'abnégation, ne saurait
lui donner la joie transcendantale du mystique ; et son extase
panthéiste ne lui procurera jamais que des jouissances
d'artiste éphémères. La vraie joie serait l'oubli de soi.[3]
  La morale occupe une grande place dans les méditations

[1] « La méditation dans la retraite, l'étude de la nature, la
contemplation de l'univers, forcent un solitaire à s'élancer incessamment vers l'Auteur des choses, et à chercher avec une douce
inquiétude la fin de tout ce qu'il voit et la cause de tout ce qu'il
sent » (p. 22).
[2] « Si j'eusse été invisible et tout-puissant comme Dieu, j'aurois
été bienfaisant et bon comme lui » (p. 67).
[3] « Je ne médite, je ne rêve jamais plus délicieusement que
quand je m'oublie moi-même. Je sens des extases, des ravissemens
inexprimables, à me fondre, pour ainsi dire, dans le système des êtres,
à m'identifier avec la nature entière » (p. 76). Arrive-t-il réelle-

de ce misanthrope qui aime l'homme (voir la sixième promenade), mais qui, par suite d'une sensibilité qui s'effarouche trop aisément, parfois par simple timidité, craint les hommes et leur préfère l'isolement. Si Dieu est bon, Rousseau l'est également ; si celui-ci a commis des fautes, elles n'ont du moins jamais été préméditées. Sa verve raisonneuse le reprend ; ce sera alors une dissertation sur le mensonge (quatrième promenade), ou sur l'amour-propre, qu'il distingue de l'amour de soi et qui l'empêche de communier pleinement avec l'univers (huitième promenade). Il se souvient de la nécessité de faire son apologie ; il se confesse de nouveau pour se libérer du poids de sa faute, qui l'écrase peut-être parce qu'il refuse encore de la reconnaître dans sa gravité foncière. Le ruban volé à Mme de Vercellis, ses enfants aux *Enfants-Trouvés*, ces deux remords le rongent, bien qu'il en dénature peut-être la véritable portée. Dans les *Rêveries*, il se montre cependant moins indulgent pour lui-même que dans les *Confessions* ; mais cet ultime examen de conscience permettra encore quelque nouvelle gymnastique à cet esprit ondoyant et subtil.

Souvent un incident quelconque sert de point de départ à sa méditation. La promenade à Ménilmontant, au cours de laquelle il est renversé par un chien danois, suffit à provoquer ses réflexions sur sa destinée. Parfois de menus plaisirs, comme celui de l'herborisation, suffisent à susciter de vivants soliloques. La promenade est une nécessité physique pour un homme qui gagne sa vie à copier de la musique ; il doit se dégourdir et se délasser. Mais les herborisations auxquelles il se livre satisfont son besoin de la nature en même temps que son intelligence critique ; surtout l'herbier une fois établi est là pour éveiller les souvenirs, pour créer un lien entre le présent et le moment heureux dont il a joui ; l'herbier revêt alors une valeur mystique, et joue le rôle d'une hostie.

Une mélancolie sereine suscite les réflexions dont se com-

---

ment à perdre le sentiment de son individualité ? Sa béatitude en tout cas ne dure guère : « Dominé par mes sens, quoi que je puisse faire, je n'ai jamais su résister à leurs impressions, et, tant que l'objet agit sur eux, mon cœur ne cesse d'en être affecté ; mais ces affections passagères ne durent qu'autant que la sensation qui les cause » (p. 93).

pose ce journal d'un solitaire, où l'écrivain rentre en lui-
même. Il se livre à son grand plaisir, celui de s'analyser,
d'approfondir la connaissance de soi pour mieux jouir, au
point que la souffrance elle-même ne sert plus qu'à accroître
les délices de ce grand amateur de sensations. L'homme qui
a voulu transformer la société humaine, le brillant et para-
doxal auteur du *Discours sur l'Inégalité*, l'homme qui a
revendiqué les droits de l'homme naturel, et qui a prôné un
système d'éducation idéal, est mort. S'il exerce encore par
ses *Rêveries* une influence sur l'humanité, c'est parce qu'il est
un individualiste effréné qui s'attache passionnément et
uniquement à lui-même. Dans la *Nouvelle Héloïse*, il avait
trouvé un porte-parole ; pour écrire le roman de sa vie, il n'en
a cure. Il s'agit maintenant qu'il exprime directement ses
sensations au jour le jour ; il n'y a plus de voile entre
l'expression et l'homme lui-même, et c'est pourquoi les
Rêveries sont un chef-d'œuvre. Il y règne une sincérité
absolue—la sincérité d'un déséquilibré dont la sensibilité
explique les inexactitudes. Ses évocations d'impressions
successives, ces bercements mi-sentimentaux, mi-moraux,
organisés par un esprit encore actif, sont d'une âme fatiguée
qui cherche un soulagement à sa misère. Où pourra-t-il
s'évader ?

La grande consolatrice est l'illusion. Rousseau ne se
réalise pleinement que dans le rêve. « Le pays des chimères »,
écrivait-il dans la *Nouvelle Héloïse*,[1] « est en ce monde le
seul digne d'être habité ; et tel est le néant des choses
humaines, que hors l'Être existant par lui-même il n'y a
rien de beau que ce qui n'est pas.» Il a su dénombrer les
étapes qui l'ont amené à son état actuel : « Cet amour des
objets imaginaires et cette facilité de m'en occuper achevèrent
de me dégoûter de tout ce qui m'entourait et déterminèrent
ce goût pour la solitude qui m'est toujours resté depuis ce
temps-là. On verra plus d'une fois dans la suite les bizarres
effets de cette disposition si misanthrope et si sombre en
apparence, mais qui vient en effet d'un cœur trop affectueux,
trop aimant, trop tendre, qui, faute d'en trouver d'existants
qui lui ressemblent, est forcé de s'alimenter de fictions.»[2]
Avant les *Rêveries*, il avait déjà détaillé les raisons de sa

---

[1] Sixième partie, lettre viii.
[2] *Confessions*, Première partie, livre I.

prédilection pour la solitude : « Mais de quoi jouissais-je
enfin quand j'étais seul ? De moi, de l'univers entier, de
tout ce qui est, de tout ce qui peut être, de tout ce qu'a de
beau le monde sensible, et d'imaginable le monde intellectuel : je rassemblais autour de moi tout ce qui pouvait
flatter mon cœur ; mes désirs étaient la mesure de mes
plaisirs. Non, jamais les plus voluptueux n'ont connu de
pareilles délices, et j'ai cent fois plus joui de mes chimères
qu'ils ne font des réalités.» [1] Il arrive ainsi au seuil du
nirvana. Dans la première promenade, il revient à cette
idée, mais il laisse entendre aussi que s'il en est réduit à des
promenades solitaires, c'est qu'il ne trouve de compagnons
dignes de lui que dans la réalité des rêves. Le titre de
l'ouvrage est un douloureux reproche, comme l'a bien vu
M. Monglond qui ajoute : « La méchanceté des hommes a
contraint à l'isolement farouche le cœur le plus aimant.» [2]
Mais ce que Jean-Jacques écrivait dans sa première lettre à
Malesherbes reste vrai : « Je suis né avec un amour naturel
pour la solitude, qui n'a fait qu'augmenter à mesure que j'ai
mieux connu les hommes.»

Par un apprentissage long et soutenu, et grâce à son
imagination débordante au service de laquelle il met sa
dialectique, il parvient à vivre plus complètement dans le
monde qu'il crée, où les correspondances entre sa vie
intérieure et le monde extérieur ne sont pleinement perçues
que par lui. Il réussit presque à sortir de ce monde, et dans
l'univers illusoire où il vit, sur le plan duquel il a son existence surréelle, ses ennemis ne peuvent jouer que le rôle qu'il
leur assigne. Aussi, quand l'illusion ne le soutient plus, ses
méditations deviennent-elles sombres et désespérées.

Traduire absolument ses découvertes intérieures est peut-
être la fonction essentielle de l'artiste moderne. Dans sa
cinquième promenade, où il a effectivement apporté quelque
chose de nouveau, Rousseau a réalisé cette harmonie avec
un art et une maîtrise que rien encore n'est venu surpasser.
On a parlé de Jean-Jacques comme d'un grand peintre de

[1] *Troisième lettre à M. de Malesherbes.*
[2] *Vies préromantiques. Les deux dernières années de Rousseau*,
Paris, 1925, pp. 15–89. Cette excellente introduction aux *Rêveries*
comporte, outre des remarques critiques très fines, une évocation
précise de la vie de Rousseau, rue Plâtrière, et de ses derniers
instants à Ermenonville.

la nature. Il a en effet aimé la nature sous ses aspects les plus divers ; le paysage qu'il préfère, cependant, est riant. Il se plaît à décrire les coteaux boisés, la montagne, les lacs, les levers de soleil, les nuits d'été ; il se plonge avec volupté au cœur de cette petite nature qui exclut le plus souvent la haute montagne et qui ignore la poésie de la mer. L'objet de sa prédilection est en accord étroit avec ses idées philosophiques qui sont elles-mêmes le reflet de son tempérament ; car ce qu'il aime avant tout, c'est le naturel dans la nature.

Il jouit en artiste des scènes qu'il contemple ; il note les couleurs. Les montagnes sont « bleuâtres » ; la nuance est nouvelle en littérature. Mais il s'attache surtout à évoquer par les sonorités la sensation physique de la scène qu'il décrit. Ses sens aigus, ses yeux vifs, son ouïe si fine, lui permettent de définir comme jamais auparavant et de rendre par sa phrase les éléments complexes et sensibles du tableau qu'il a devant lui, ou plutôt qu'il recrée par le souvenir.

C'est encore par ses descriptions de la nature que Rousseau se révèle le plus lyrique. Cette cinquième promenade est un vrai poème en prose : la phrase est nombreuse, les balancements sont savamment coordonnés, les énumérations et les antithèses ménagées avec art. Rousseau s'est souvenu de la période de Bossuet, dont il reprend parfois certains éléments ; mais il cherche à donner des phrases limpides où le souffle oratoire cède à un lyrisme en demi-teinte. Son rythme est spontané et suit la nuance de sensibilité qu'il veut rendre. Il sait faire succéder à l'exaltation une tonalité plus douce qui correspond mieux à sa lassitude profonde. Le ton est souvent celui de l'élégie ; tel écho d'un psaume ou d'une prière ajoute encore à la musique religieuse qui forme l'arrière-plan de son âme. Pour rendre sa rêverie, il se servira des structures rythmiques les plus variées, sans hésiter à employer le nombre impair.

Nous ne nous efforcerons pas ici, après tant d'autres,[1] d'analyser la phrase de Rousseau, ni de relever tous les alexandrins que recèle cette cinquième rêverie. Bornons-nous à

[1] Voir surtout Robert Osmont, « Contribution à l'étude psychologique des *Rêveries du Promeneur solitaire*. La vie du souvenir. Le rythme lyrique.» *Annales de la société Jean-Jacques Rousseau*, tome XXIII, 1934.

souligner la parfaite harmonie entre le mode d'expression et la nature de la rêverie évoquée. Le mode lyrique seul convient à une biographie sentimentale. Pour exprimer la suite des sensations et des idées qui se succèdent en son âme, l'artiste qui groupe ces intimes correspondances saura employer un rythme qui épouse la sensation perçue, une période nombreuse qui répond le mieux au débit naturel de la parole, et qui suit le rythme de la respiration. Qu'y a-t-il d'étonnant alors à ce qu'il se laisse aller à écrire des alexandrins ? N'est-ce pas ce vers par excellence qui est le plus approprié quand il s'agit de faire sentir le flux et le reflux de l'eau, mouvement vital comme le sang qui coule dans nos veines, signe de l'universel écoulement des choses ?

Les mouvements du paysage sont associés à la vie intérieure du poète par un travail grandement inconscient où structure, rythme et sonorité se confondent pour susciter l'harmonie. Le charme opère encore. Laissons-nous envoûter par cette musique qui défie toute analyse : « Comme il n'y a pas sur ces heureux bords de grands mouvements commodes pour les voitures, le pays est peu fréquenté par les voyageurs, mais il est intéressant pour des contemplatifs solitaires qui aiment à s'enivrer à loisir des charmes de la nature, et à se recueillir dans un silence que ne trouble aucun autre bruit que le cri des aigles, le ramage entrecoupé de quelques oiseaux, et le roulement des torrents qui tombent de la montagne.» Quel lecteur saurait rester insensible à cette poésie ? Tout concourt à l'harmonie ineffable de ce passage. L'idée, devenue banale, était alors un paradoxe qu'il s'agissait de faire comprendre au lecteur. L'opposition est sous-entendue entre le contemplatif solitaire qui définit exactement Rousseau et la plus grande partie du monde. Les mots *s'enivrer* et *charmes* (qu'il faut prendre dans le sens propre d'*attrait magique*) indiquent assez l'état que recherche le poète ; l'image est majestueuse et classique par sa distinction ; elle est aussi symbolique et vague en dépit des trois faces qu'il lui fait prendre. Suivons le rythme :

> *que ne trouble aucun autre bruit*
> *que le cri des aigles*
> *le ramage entrecoupé de quelques oiseaux*
> *et le roulement des torrents*
> *qui tombent de la montagne.*

Le vers court, de cinq syllabes, avec ses sonorités stridentes (déjà annoncées par les voyelles dans *bruit*), qui interrompent la structure de la phrase, comme elles troublent le recueillement du silence, précède le long vers si évocateur. Puis viennent l'harmonie imitative des deux derniers vers, la rime intérieure de l'octosyllabe, les allitérations expressives de *r* et de *t*, les voyelles nasales qui allongent, qui ralentissent le débit, la coupe après *tombent* qui marque une chute soudaine, après quoi la phrase se poursuit encore, doucement, comme l'eau d'un courant qui a retrouvé son lit. Seule la déclamation peut rendre sensible cette poésie.

Rousseau nous apprend qu'il écrivait avec difficulté, étant incapable de traduire ses sensations lorsqu'il était assis devant une feuille de papier blanc. Serait-ce trop hardi de supposer qu'il lui fallait retrouver dans son esprit le rythme de la marche, capable de soutenir par sa régularité une phrase à la fois nombreuse et souple ? Ne serait-ce pas là le secret de ce style essentiellement varié et prêt à s'adapter aux exigences les plus diverses, mais qu'il faut sentir contre le fond permanent de l'harmonie universelle qui prend sa source dans la vie elle-même.

Chateaubriand s'est peut-être souvenu du passage ci-dessus dans *Atala* : « Le nom de Dieu et du tombeau sortait de tous les échos, de tous les torrents, de toutes les forêts. Les roucoulements de la colombe de Virginie, la chute d'un torrent dans la montagne, les tintements de la cloche qui appelait les voyageurs, se mêlaient à ces chants funèbres, et l'on croyait entendre dans les Bocages de la Mort le chœur lointain des décédés qui répondait à la voix du solitaire.» Chateaubriand ménage ses effets avec soin, il orchestre richement ; sa musique n'est pas plus pure ni plus savante.

Quand, plongé dans une léthargie de tout le corps, Rousseau transcrit le mouvement de la barque sur l'eau, le bercement des vagues, il aime la nature surtout pour les émotions qu'elle lui procure ; et c'est la correspondance entre son état d'âme et la scène qu'il esquisse qui fait la grandeur et l'importance de sa réalisation artistique. Cette belle nature n'a pas de valeur en soi ; elle n'est pas rendue d'une façon objective ; elle est le fruit de l'imagination du poète. Pour lui, elle est un prétexte, un cadre commode, un symbole surtout. Plus la description en est vague et d'application générale, plus elle évoquera pour le lecteur, par une transposition naturelle, quelque souvenir précis et personnel. Jules Lemaître,[1] en parlant de « rêveries dans la nature », a bien vu que c'est la valeur sentimentale des tableaux qui importe. Il ne faut rien de trop précis pour nous tirer de notre songe, rien pour nous rappeler que Rousseau n'est pas nous.

Mais la nature joue dans la vie de son âme un rôle plus important qu'on ne pense. Elle peut initier à une mystique d'un genre inconnu jusqu'alors. Dans sa conception pan-théiste de l'univers, la nature est un divin opium qui engourdit la raison tracassière et conduit à l'extase.[2] Il faut d'abord entrer dans un état réceptif, être passif avant de pouvoir se livrer à la rêverie cosmique qui élèvera l'âme à la béati-tude : « Plus un contemplateur a l'âme sensible, plus il se livre aux extases qu'excite en lui cet accord (avec la nature). Une rêverie douce et profonde s'empare alors de ses sens et il se perd avec une délicieuse ivresse dans l'immensité de ce beau système avec lequel il se sent identifié.» S'il se tourne vers la nature, c'est pour s'abstenir de penser, pour oublier ses malheurs et tenter une évasion impossible.

Ainsi Rousseau, tout en nous apprenant que la nature, mieux que tout autre symbole, peut refléter certains aspects fugitifs de l'âme humaine, approfondit les rapports intimes qui l'unissent à l'homme.

Son paysage est un paysage de fantaisie, un mirage. L'île de Saint-Pierre qui revit dans son souvenir, il ne l'avait pas vue depuis douze années — et il la décrit mieux pour ne l'avoir pas revue.[3] La jouissance qu'il éprouve durant son court séjour au lac de Bienne n'est rien devant la jouissance que lui procure le souvenir. Le souvenir de l'extase est plus vrai que l'extase elle-même et, par suite, l'idée ordinaire du temps et de la durée perd toute valeur. Ce serait donc

---

[1] *Jean-Jacques Rousseau*, Calmann-Lévy, 1907, Dixième Con-férence, p. 344.

[2] « Quelquefois mes rêveries finissent par la méditation, mais plus souvent mes méditations finissent par la rêverie ; et, durant ces égaremens, mon âme erre et plane dans l'univers sur les ailes de l'imagination, dans des extases qui passent toute autre jouissance » (p. 72).

[3] Cf. *Confessions*, livre III : « Je ne vois bien que ce que je me rappelle, et je n'ai de l'esprit que dans mes souvenirs.»

commettre une grave erreur que de chercher dans son sentiment de la nature un sens du pittoresque. Maint extrait des
Rêveries fournirait une clé de l'état d'esprit particulier de leur
auteur, car les *Rêveries* sont aussi l'œuvre d'un analyste pas-
sionné, mais clairvoyant. Il est une page des *Dialogues*,
cependant, qui révèle plus clairement qu'aucune autre ce qui
se passe en lui. Plus profonde que les explications des
psychologues modernes, elle permet de démonter les rouages
de son esprit. Elle éclaire d'un jour singulier le sens de
la rêverie :

« Un cœur actif et un naturel paresseux doivent inspirer
le goût de la rêverie. Ce goût perce et devient une passion
très vive, pour peu qu'il soit secondé par l'imagination.
C'est ce qui arrive très fréquemment aux Orientaux ;
c'est ce qui est arrivé à Jean-Jacques, qui leur ressemble à
bien des égards. Trop soumis à ses sens pour pouvoir,
dans les jeux de la sienne, en secouer le joug, il ne s'élèverait
pas sans peine à des méditations purement abstraites, et
ne s'y soutiendrait pas longtemps. Mais cette faiblesse
d'entendement lui est peut-être plus avantageuse que ne
serait une tête plus philosophique. Ce concours des objets
sensibles rend ses méditations moins sèches, plus douces,
plus illusoires, plus appropriées à lui tout entier. La
nature s'habille pour lui des formes les plus charmantes,
se peint à ses yeux des couleurs les plus vives, se peuple
pour son usage, d'êtres selon son cœur, et lequel est le
plus consolant, dans l'infortune, de profondes conceptions
qui fatiguent, ou de riantes fictions qui ravissent et
transportent celui qui s'y livre au sein de la félicité ? Il
raisonne moins, il est vrai ; mais il jouit davantage : il
ne perd pas un moment pour la jouissance ; et sitôt qu'il
est seul, il est heureux.

« La rêverie, quelque douce qu'elle soit, aiguise et fatigue
à la longue ; elle a besoin de délassement. On le trouve
en laissant reposer sa tête et livrant uniquement ses sens
à l'impression des objets extérieurs. Le plus indifférent
spectacle a sa douceur par le relâche qu'il nous procure ;
et, pour peu que l'impression ne soit pas tout à fait nulle,
le mouvement léger dont elle nous agite suffit pour nous
préserver d'un engourdissement léthargique, et nourrir
en nous le plaisir d'exister, sans donner de l'exercice à
nos facultés. Le contemplatif Jean-Jacques, en tout
autre temps si peu attentif aux objets qui l'entourent, a
souvent grand besoin de ce repos, et le goûte alors avec

une sensualité d'enfant dont nos sages ne se doutent guère. Il n'aperçoit rien, sinon quelque mouvement à son oreille ou devant ses yeux ; mais c'en est assez pour lui... »

Pour mieux faire sentir l'originalité des *Rêveries* il faudrait suivre les souvenirs de Rousseau à travers ses œuvres, et refaire en sens inverse les étapes parcourues. Dans le livre XII des *Confessions*, Rousseau avait déjà donné une première version de son séjour à l'île de Saint-Pierre ; on discerne dans sa description la volonté agissante et l'on sent l'artifice : « Souvent, laissant aller mon bateau à la merci de l'air et de l'eau, je me livrais à des rêveries sans objet, et qui, pour être stupides, n'en étaient pas moins douces. Je m'écriais parfois avec attendrissement : Ô nature ! ô ma mère ! me voici sous ta seule garde ; il n'y a point ici d'homme adroit et fourbe qui s'interpose entre toi et moi. Je m'éloignais ainsi jusqu'à demi-lieue de terre ; j'aurais voulu que ce lac eût été l'Océan.» L'analyse est encore très fine, car elle rend la nuance de sa sensibilité et en même temps nous indique que son évasion est vouée à un échec : « J'avais pris l'habitude d'aller, les soirs, m'asseoir sur la grève, surtout quand le lac était agité. Je sentais un plaisir singulier à voir les flots se briser à mes pieds. Je m'en faisais l'image du tumulte du monde, et de la paix de mon habitation ; et je m'attendrissais quelquefois à cette douce idée, jusqu'à sentir des larmes couler de mes yeux. Ce repos, dont je jouissais avec passion, n'était troublé que par l'inquiétude de le perdre ; mais cette inquiétude allait au point d'en altérer la douceur.»

Déjà dans la *Nouvelle Héloïse*, le sentiment de la nature perce en maint endroit, mais nous voyons aussi que la précision même du tableau que l'artiste voit devant lui le gêne parfois ; « J'étais parti », écrit Saint-Preux à Julie, « triste de mes peines et consolé de votre joie ; ce qui me tenait dans un certain état de langueur qui n'est pas sans charme pour un cœur sensible. Je gravissais lentement et à pied des sentiers assez rudes, conduit par un homme que j'avais pris pour être mon guide et dans lequel, durant toute la route, j'ai trouvé plutôt un ami qu'un mercenaire. Je voulais rêver, et j'en étais toujours détourné par quelque spectacle inattendu.» [1] Plus loin, dans la même lettre,

[1] Première partie, lettre xxiii.

Saint-Preux nous donne la clé du plaisir qu'il prend à la nature :

« Tandis que je parcourais avec extase ces lieux si peu connus et si dignes d'être admirés, que faisiez-vous cependant, ma Julie ?   Étiez-vous oubliée de votre ami ? Julie oubliée !   Ne m'oublierais-je pas plutôt moi-même ? et que pourrais-je être un moment seul, moi qui ne suis plus rien que par vous ?   Je n'ai jamais mieux remarqué avec quel instinct je place en divers lieux notre existence commune selon l'état de mon âme.   Quand je suis triste, elle se réfugie auprès de la vôtre et cherche des consolations aux lieux où vous êtes ;   c'est ce que j'éprouvais en vous quittant.   Quand j'ai du plaisir, je n'en saurais jouir seul, et pour le partager avec vous je vous appelle alors où je suis.   Voilà ce qui m'est arrivé durant toute cette course où, la diversité des objets me rappelant sans cesse en moi-même, je vous conduisais partout avec moi.   Je ne faisais pas un pas que nous ne le fissions ensemble. Je n'admirais pas une vue sans me hâter de vous la montrer.   Tous les arbres que je rencontrais vous prêtaient leur ombre, tous les gazons vous servaient de siège. Tantôt, assis à vos côtés, je vous aidais à parcourir des yeux les objets ;   tantôt à vos genoux j'en contemplais un plus digne des regards d'un homme sensible.   Rencontrais-je un pas difficile, je vous le voyais franchir avec la légèreté d'un faon qui bondit après sa mère.   Fallait-il traverser un torrent, j'osais presser dans mes bras une si douce charge ;   je passais le torrent lentement, avec délices, et voyais à regret le chemin que j'allais atteindre.   Tout me rappelait à vous dans ce séjour paisible ;   et les touchants attraits de la nature, et l'inaltérable pureté de l'air, et les mœurs simples des habitants, et leur sagesse égale et sûre, et l'aimable pudeur du sexe, et ses innocentes grâces, et tout ce qui frappait agréablement mes yeux et mon cœur leur peignait celle qu'ils cherchent.»

La vie sentimentale submerge toutes les autres activités. C'est en effet Julie qu'il cherche dans la nature.   Et Julie elle-même n'est-elle pas une créature de roman, une extériorisation d'un besoin intime de son cœur ?   Existe-t-elle ailleurs que dans son rêve ?   Il faudra attendre les *Rêveries* pour voir Rousseau renoncer à retrouver ailleurs qu'en lui l'objet aimé.   C'est ce sentiment de nostalgie profonde et inexplicable, le « vide du cœur » comme il l'appelle quelquefois,

qui sera le « mal du siècle » d'un Musset et encore le
« spleen » d'un Baudelaire.[1] Plus tard, Saint-Preux, de
retour à la Meillerie, dans une lettre à Milord Édouard, fait
le récit d'une promenade en bateau sur le lac de Genève.
Après la description sobre et précise qui forme le cadre,
nous voyons Saint-Preux faire un retour en arrière sur sa
vie sentimentale, et se laisser aller à de sombres méditations : « Allons-nous-en, mon bon ami, me dit-elle d'une
voix émue ; l'air de ce lieu n'est pas bon pour moi. Je
partis avec elle en gémissant, mais sans lui répondre, et je
quittai pour jamais ce triste réduit comme j'aurais quitté
Julie elle-même.»[2]   Cette parole éloquente nous fixe sur les
mystiques transpositions de cet homme sensible. Car ce
qui compte aux yeux de Saint-Preux, c'est la succession de
ses émotions. Voici le dernier stage qui lui procure une
suprême délectation : « Là mes vives agitations commen-
cèrent à prendre un autre cours ; un sentiment plus doux
s'insinua peu à peu dans mon âme, l'attendrissement sur-
monta le désespoir, je me mis à verser des torrents de larmes ;
et cet état, comparé à celui dont je sortais, n'était pas sans
quelque plaisir.»[3]   Ainsi, dans la *Nouvelle Héloïse*, nous
trouvons l'essentiel de l'attitude de Rousseau à l'égard de
la nature et du rôle qu'il lui assigne ; mais nous voyons
aussi que Rousseau est encore dupe de ses sentiments. Il
rêve toujours de faire partager son expérience unique, et la
Julie dont il embrasse la mémoire n'est au fond qu'un mirage.
Le centre de l'intérêt est toujours le personnage et l'émotion
poétique, mais les *Rêveries* sont plus mélancoliques que *Julie*,
parce que la nostalgie s'y montre sans cause précise et sans
espoir : le grand amour sans issue va créer une poésie suave
et toute moderne.

Cependant, l'image enchanteresse qu'il se plaît à évoquer
dans sa dernière rêverie, et qui colore insensiblement toutes
les autres, n'est pas celle de Mme d'Houdetot, mais celle de
Mme de Warens. Sur la fin de sa vie, quand tous les événe-
ments qu'il a notés se sont tassés dans son souvenir, c'est

---

[1] « Quand j'aurois obtenu tout ce que je croyois chercher, je
n'y aurois point trouvé ce bonheur dont mon cœur était avide
sans en savoir démêler l'objet » (p. 22).

[2] *Nouvelle Héloïse*, Quatrième partie, lettre xvii.

[3] Ibid.

bien la figure de Mme de Warens qui devait paraître, revêtue de son nimbe de gloire. Son amour pour celle qu'il appelait justement « Maman » n'est pas rappelé avec la fougue de l'adolescence et le premier élan des sens, mais avec regret, le regret angoissé de ce qui aurait pu être : « Ah ! si j'avais suffi à son cœur comme elle suffisait au mien ! »

Son séjour aux Charmettes avait déterminé sa vocation littéraire et permis l'éclosion de ses facultés. Il l'avait orienté vers les grands problèmes de la vie. C'est là, surtout, que Jean-Jacques avait réalisé sa première idylle. Une Mme de Warens spiritualisée est tout ce qui reste de son grand rêve d'amour. Elle n'est pas morte dans son cœur. Dans cette vision dernière, elle revêt de mystiques parures. C'est elle seule qui lui permet de s'approcher de Dieu. Son amour refoulé, ses aspirations sentimentales et religieuses refluent vers celle qui lui a fait prononcer ces paroles touchantes et profondes : « J'ai besoin de me recueillir pour aimer. »

Ainsi Rousseau ouvre les ailes au rêve et transfigure le monde. Tous les thèmes dits romantiques se trouvent dans les *Rêveries*. Avec lui, les mots « subjectif » et « objectif » perdent leur sens, car ils se fondent l'un dans l'autre. M. Lanson se trompe quand il écrit : « Il a romancé les faits de sa vie, les sentiments de son cœur, il a romancé sa vision de la société : il a représenté fidèlement la nature », car Rousseau n'a représenté fidèlement que la nature de son rêve. Il faudra peut-être attendre Giono pour avoir une sensation vraie de la nature. Rousseau cherche à recréer en lui-même le paradis perdu. Il s'attache, comme le feront plus tard certains poètes symbolistes, à reproduire les métamorphoses de son âme, les multiples facettes de sa conscience *pluraliste*, comme dirait Bergson. Sa pensée procède à la façon de celle de Proust à l'époque de la « recherche du temps perdu. » La sensation et le souvenir jouent dans leurs œuvres un rôle analogue. Une phrase comme la suivante, tirée de la septième promenade, semble annoncer une sensibilité proustienne : « Les odeurs suaves, les vives couleurs, les plus élégantes formes, semblent se disputer à l'envi le droit de fixer notre attention. Il ne faut qu'aimer le plaisir pour se livrer à des sensations si douces. »

Mais l'analyse de soi, si loin qu'il la pousse, ne peut lui suffire. L'art doit lui apporter un bonheur ineffable, moins

C

éphémère peut-être que l'extase qu'il prolonge. Sa souffrance métaphysique est transformée en volupté, comme chez
Baudelaire. Comme Rimbaud, il attend qu'une expérience
mystique vienne le délivrer. Comme Rimbaud encore, il a
été un errant, un étranger fourvoyé dans la ville de Paris et
sur toutes les routes du monde ; un individualiste invétéré ;
un écrivain qui n'a pas de place dans la littérature de son
temps ; un mystique jouisseur et égoïste ; un révolté enfin
qui trouve dans l'incantation magique un instant de repos.

« La poésie, nous dit M. Raymond,[1] tend à devenir une
éthique ou je ne sais quel moyen irrégulier de connaissance
métaphysique.» Rousseau, par sa cinquième rêverie surtout, dont l'influence puissante s'exerce encore, a montré la
voie nouvelle. Il est le premier des modernes, l'initiateur des
temps nouveaux. Il a vraiment changé la face du monde
pour lui, et pour ceux qui le comprennent.

---

[1] *De Baudelaire au surréalisme.*

LES RÊVERIES

DU

PROMENEUR SOLITAIRE

PREMIÈRE PROMENADE

ME voici donc seul sur la terre, n'ayant plus de frère, de prochain, d'ami, de société que moi-même. Le plus sociable et le plus aimant des humains en a été proscrit par un accord unanime. Ils ont cherché, dans les raffinemens de leur haine, quel tourment pouvoit être le plus cruel à mon âme sensible, et ils ont brisé violemment tous les liens qui m'attachoient à eux. J'aurois aimé les hommes en dépit d'eux-mêmes : ils n'ont pu, qu'en cessant de l'être, se dérober à mon affection. Les voilà donc étrangers, inconnus, nuls enfin pour moi, puisqu'ils l'ont voulu ! Mais moi, détaché d'eux et de tout, que suis-je moi-même ? Voilà ce qui me reste à chercher. Malheureusement cette recherche doit être précédée d'un coup d'œil sur ma position : c'est une idée par laquelle il faut nécessairement que je passe pour arriver d'eux à moi.

Depuis quinze ans et plus que je suis dans cette étrange position, elle me paroît encore un rêve.[1] Je m'imagine toujours qu'une indigestion me tourmente, que je dors d'un mauvais sommeil, et que je vais me réveiller, bien soulagé de ma peine, en me retrouvant avec mes amis. Oui, sans doute, il faut que j'aie fait, sans que je m'en aperçusse, un saut de la veille au sommeil, ou plutôt de la vie à la mort. Tiré, je ne sais comment, de l'ordre des choses, je me suis vu précipité dans un chaos incompréhensible, où je n'aperçois rien du tout ; et plus je pense à ma situation présente, et moins je puis comprendre où je suis.

Eh ! comment aurois-je pu prévoir le destin qui m'attendoit ? comment le puis-je concevoir encore aujourd'hui que j'y suis livré ? Pouvois-je dans mon bon sens supposer qu'un jour moi, le même homme que j'étois, le même que je suis encore, je passerois, je serois tenu, sans le moindre doute,

3

pour un monstre, un empoisonneur, un assassin ; que je deviendrois l'horreur de la race humaine, le jouet de la canaille ; que toute la salutation que me feroient les passans seroit de cracher sur moi ; qu'une génération toute entière s'amuseroit d'un accord unanime à m'enterrer tout vivant ? [1] Quand cette étrange révolution se fit, pris au dépourvu, j'en fus d'abord bouleversé. Mes agitations, mon indignation, me plongèrent dans un délire qui n'a pas eu trop de dix ans pour se calmer ; et, dans cet intervalle. tombé d'erreur en erreur, de faute en faute, de sottise en sottise, j'ai fourni par mes imprudences aux directeurs de ma destinée, autant d'instrumens qu'ils ont habilement mis en œuvre pour la fixer sans retour.

Je me suis débattu longtems aussi violemment que vainement. Sans adresse, sans art, sans dissimulation, sans prudence, franc, ouvert, impatient, emporté, je n'ai fait, en me débattant, que m'enlacer davantage, et leur donner incessamment de nouvelles prises qu'ils n'ont eu garde de négliger. Sentant enfin tous mes efforts inutiles, et me tourmentant à pure perte, j'ai pris le seul parti qui me restoit à prendre, celui de me soumettre à ma destinée, sans plus regimber contre la nécessité. J'ai trouvé dans cette résignation le dédommagement de tous mes maux, par la tranquillité qu'elle me procure, et qui ne pouvoit s'allier avec le travail continuel d'une résistance aussi pénible qu'infructueuse.

Une autre chose a contribué à cette tranquillité. Dans tous les raffinemens de leur haine, mes persécuteurs en ont omis un que leur animosité leur a fait oublier ; c'étoit d'en graduer si bien les effets, qu'ils pussent entretenir et renouveler mes douleurs sans cesse, en me portant toujours quelque nouvelle atteinte. S'ils avoient eu l'adresse de me laisser quelque lueur d'espérance, ils me tiendroient encore par là. Ils pourroient faire encore de moi leur jouet par quelque faux leurre, et me navrer ensuite d'un tourment toujours nouveau par mon attente déçue. Mais ils ont d'avance épuisé toutes leurs ressources ; en ne me laissant rien, ils se sont tout ôté à eux-mêmes. La diffamation, la dépression, la dérision,

l'opprobre dont ils m'ont couvert, ne sont pas plus suscep-
tibles d'augmentation que d'adoucissement ; nous sommes
également hors d'état, eux de les aggraver, et moi de m'y
soustraire. Ils se sont tellement pressés de porter à son
comble la mesure de ma misère, que toute la puissance
humaine, aidée de toutes les ruses de l'enfer, n'y sauroit plus
rien ajouter. La douleur physique elle-même, au lieu d'augmenter mes peines, y feroit diversion. En m'arrachant des
cris, peut-être elle m'épargneroit des gémissemens, et les
déchiremens de mon corps suspendroient ceux de mon cœur.

Qu'ai-je encore à craindre d'eux, puisque tout est fait ?
Ne pouvant plus empirer mon état, ils ne sauroient plus
m'inspirer d'alarmes. L'inquiétude et l'effroi sont des maux
dont ils m'ont pour jamais délivré : c'est toujours un soulagement. Les maux réels ont sur moi peu de prise ; je prends
aisément mon parti sur ceux que j'éprouve, mais non pas sur
ceux que je crains. Mon imagination effarouchée les com-
bine, les retourne, les étend et les augmente. Leur attente
me tourmente cent fois plus que leur présence, et la menace
m'est plus terrible que le coup. Sitôt qu'ils arrivent, l'événement, leur ôtant tout ce qu'ils avoient d'imaginaire, les réduit
à leur juste valeur. Je les trouve alors beaucoup moindres
que je ne me les étois figurés ; et même, au milieu de ma
souffrance, je ne laisse pas de me sentir soulagé. Dans cet
état, affranchi de toute nouvelle crainte et délivré de l'inquiétude de l'espérance, la seule habitude suffira pour me rendre
de jour en jour plus supportable une situation que rien ne
peut empirer, et, à mesure que le sentiment s'en émousse par
la durée, ils n'ont plus de moyens pour le ranimer. Voilà le
bien que m'ont fait mes persécuteurs, en épuisant sans mesure
tous les traits de leur animosité. Ils se sont ôté sur moi tout
empire, et je puis désormais me moquer d'eux.

Il n'y a pas deux mois encore qu'un plein calme est rétabli
dans mon cœur. Depuis longtems je ne craignois plus rien ;
mais j'espérois encore, et cet espoir, tantôt bercé, tantôt
frustré, étoit une prise pour laquelle mille passions diverses
ne cessoient de m'agiter. Un événement aussi triste qu'imprévu [1] vient enfin d'effacer de mon cœur ce foible rayon

d'espérance, et m'a fait voir ma destinée fixée à jamais sans retour ici-bas. Dès lors je me suis résigné sans réserve, et j'ai retrouvé la paix.

Sitôt que j'ai commencé d'entrevoir la trame dans toute son étendue, j'ai perdu pour jamais l'idée de ramener de mon vivant le public sur mon compte, et même ce retour, ne pouvant plus être réciproque, me seroit désormais bien inutile. Les hommes auroient beau revenir à moi, ils ne me retrouveroient plus. Avec le dédain qu'ils m'ont inspiré, leur commerce me seroit insipide et même à charge, et je suis cent fois plus heureux dans ma solitude que je ne pourrois l'être en vivant avec eux. Ils ont arraché de mon cœur toutes les douceurs de la société. Elles n'y pourroient plus germer derechef à mon âge ; il est trop tard. Qu'ils me fassent désormais du bien ou du mal, tout m'est indifférent de leur part, et, quoi qu'ils fassent, mes contemporains ne seront jamais rien pour moi.

Mais je comptois encore sur l'avenir, et j'espérois qu'une génération meilleure, examinant mieux et les jugemens portés par celle-ci sur mon compte, et sa conduite avec moi, démê-leroit aisément l'artifice de ceux qui la dirigent, et me verroit enfin tel que je suis. C'est cet espoir qui m'a fait écrire mes *Dialogues*, et qui m'a suggéré mille folles tentatives pour les faire passer à la postérité. Cet espoir, quoique éloigné, tenoit mon âme dans la même agitation que quand je cher-chois encore dans le siècle un cœur juste, et mes espérances, que j'avois beau jeter au loin, me rendoient également le jouet des hommes d'aujourd'hui. J'ai dit dans mes *Dialogues* sur quoi je fondois cette attente. Je me trompois. Je l'ai senti par bonheur assez à tems pour trouver encore, avant ma dernière heure, un intervalle de pleine quiétude et de repos absolu. Cet intervalle a commencé à l'époque dont je parle, et j'ai lieu de croire qu'il ne sera plus interrompu.

Il se passe bien peu de jours que de nouvelles réflexions ne me confirment combien j'étois dans l'erreur de compter sur le retour du public, même dans un autre âge ; puisqu'il est conduit, dans ce qui me regarde, par des guides qui se renouvellent sans cesse dans les Corps qui m'ont pris en aversion. Les particuliers meurent ; mais les Corps collectifs ne meurent point. Les mêmes passions s'y perpétuent, et leur haine ardente, immortelle comme le démon qui l'inspire, a toujours la même activité. Quand tous mes ennemis particuliers seront morts, les Médecins, les Oratoriens vivront encore ; et, quand je n'aurois pour persécuteurs que ces deux Corps-là, je dois être sûr qu'ils ne laisseront pas plus de paix à ma mémoire, après ma mort, qu'ils n'en laissent à ma personne de mon vivant. Peut-être, par trait de tems, les médecins, que j'ai réellement offensés, pourroient-ils s'apaiser ; mais les Oratoriens, que j'aimois, que j'estimois, en qui j'avois toute confiance, et que je n'offensai jamais, les Oratoriens, gens d'Église et demi-moines, seront à jamais implacables ; leur propre iniquité fait mon crime, que leur amour-propre ne me pardonnera jamais ; et le public, dont ils auront soin d'entretenir et ranimer l'animosité sans cesse, ne s'apaisera pas plus qu'eux.

Tout est fini pour moi sur la terre. On ne peut plus m'y faire ni bien ni mal. Il ne me reste plus rien à espérer ni à craindre en ce monde, et m'y voilà tranquille au fond de l'abîme, pauvre mortel infortuné, mais impassible comme Dieu même.

Tout ce qui m'est extérieur m'est étranger désormais. Je n'ai plus, en ce monde, ni prochain, ni semblables, ni frères. Je suis sur la terre comme dans une planète étrangère où je serois tombé de celle que j'habitois. Si je reconnois autour de moi quelque chose, ce ne sont que des objets affligeans et déchirans pour mon cœur, et je ne peux jeter les yeux sur ce qui me touche et m'entoure, sans y trouver toujours quelque sujet de dédain qui m'indigne, ou de douleur qui m'afflige. Écartons donc de mon esprit tous les pénibles objets dont je m'occuperois aussi douloureusement qu'inutilement. Seul pour le reste de ma vie, puisque je ne trouve qu'en moi la consolation, l'espérance et la paix, je ne dois ni ne veux plus m'occuper que de moi. C'est dans cet état que je reprens la suite de l'examen sévère et sincère que j'appelai jadis mes *Confessions*. Je consacre mes derniers jours à m'étudier moi-même et à préparer d'avance le compte que je ne tarderai pas à rendre de moi.   Livrons-nous tout entier à la douceur de converser avec mon âme, puisqu'elle est la seule que les hommes ne peuvent m'ôter.   Si, à force de réfléchir sur mes dispositions intérieures, je parviens à les mettre en meilleur ordre, et à corriger le mal qui peut y rester, mes méditations ne seront pas entièrement inutiles, et, quoique je ne sois plus bon à rien sur la terre, je n'aurai pas tout à fait perdu mes derniers jours.   Les loisirs de mes promenades journalières ont souvent été remplis de contemplations charmantes dont j'ai regret d'avoir perdu le souvenir.[1]   Je fixerai par l'écriture celles qui pourront me venir encore ;   chaque fois que je les relirai m'en rendra la jouissance.   J'oublierai mes malheurs, mes persécuteurs, mes opprobres, en songeant au prix qu'avoit mérité mon cœur.

Ces feuilles ne seront proprement qu'un informe journal de mes rêveries.   Il y sera beaucoup question de moi, parce qu'un solitaire qui réfléchit, s'occupe nécessairement beaucoup de lui-même.   Du reste, toutes les idées étrangères qui me passent par la tête en me promenant y trouveront également leur place.   Je dirai ce que j'ai pensé tout comme il m'est venu, et avec aussi peu de liaison que les idées de la veille en ont d'ordinaire avec celles du lendemain.   Mais il en résultera toujours une nouvelle connoissance de mon naturel et de mon humeur par celle des sentimens et des pensées dont mon esprit fait sa pâture journalière dans l'étrange état où je suis.   Ces feuilles peuvent donc être regardées comme un appendice de mes *Confessions* ; mais je ne leur en donne plus le titre, ne sentant plus rien à dire qui puisse le mériter.   Mon cœur s'est purifié à la coupelle de l'adversité, et j'y trouve à peine, en le sondant avec soin, quelque reste de penchant répréhensible.   Qu'aurois-je encore à confesser, quand toutes les affections terrestres en sont arrachées ?   Je n'ai pas plus à me louer qu'à me blâmer ; je suis nul désormais parmi les hommes, et c'est tout ce que je puis être, n'ayant plus avec eux de relation réelle, de véritable société.   Ne pouvant plus faire aucun bien qui ne tourne à mal, ne pouvant plus agir sans nuire à autrui ou à moi-même, m'abstenir est devenu mon unique devoir, et je le remplis autant qu'il est en moi. Mais, dans ce désœuvrement du corps, mon âme est encore active, elle produit encore des sentimens, des pensées, et sa vie interne et morale semble encore s'être accrue par la mort de tout intérêt terrestre et temporel. Mon corps n'est plus pour moi qu'un embarras, qu'un obstacle, et je m'en dégage d'avance autant que je puis.

Une situation si singulière mérite assurément d'être examinée et décrite, et c'est à cet examen que je consacre mes derniers loisirs. Pour le faire avec succès, il y faudroit procéder avec ordre et méthode ; mais je suis incapable de ce travail, et même il m'écarteroit de mon but, qui est de me rendre compte des modifications de mon âme et de leurs successions. Je ferai sur moi-même à quelque égard les opérations que font les physiciens sur l'air pour en connoître l'état journalier. J'appliquerai le baromètre à mon âme, et ces opérations bien dirigées et longtems répétées me pourroient fournir des résultats aussi sûrs que les leurs. Mais je n'étens pas jusques-là mon entreprise. Je me contenterai de tenir le registre des opérations, sans chercher à les réduire en système. Je fais la même entreprise que Montaigne, mais avec un but tout contraire au sien : car il n'écrivoit ses *Essais* que pour les autres ; et je n'écris mes rêveries que pour moi. Si dans mes plus vieux jours, aux approches du départ, je reste, comme je l'espère, dans la même position où je suis, leur lecture me rappellera la douceur que je goûte à les écrire, et, faisant renaître ainsi pour moi le temps passé, doublera pour ainsi dire mon existence. En dépit des hommes, je saurai goûter encore le charme de la société, et je vivrai décrépit avec moi dans un autre âge, comme je vivrois avec un moins vieux ami.

J'écrivois mes premières *Confessions* et mes *Dialogues* dans un souci continuel sur les moyens de les dérober aux mains rapaces de mes persécuteurs, pour les transmettre, s'il étoit possible, à d'autres générations. La même inquiétude ne me tourmente plus pour cet écrit, je sais qu'elle seroit inutile ; et le désir d'être mieux connu des hommes s'étant éteint dans mon cœur n'y laisse qu'une indifférence profonde sur le sort et de mes vrais écrits et des monumens de mon innocence, qui déjà peut-être ont été tous pour jamais anéantis. Qu'on épie ce que je fais, qu'on s'inquiète de ces feuilles, qu'on s'en empare, qu'on les supprime, qu'on les falsifie, tout cela m'est égal désormais. Je ne les cache ni ne les montre. Si on me les enlève de mon vivant, on ne m'enlèvera ni le plaisir de les avoir écrites, ni le souvenir de leur contenu, ni les méditations solitaires dont elles sont le fruit, et dont la source ne peut s'éteindre qu'avec mon âme. Si dès mes premières calamités j'avois su ne point regimber contre ma destinée, et prendre le parti que je prens aujourd'hui, tous les efforts des hommes, toutes leurs épouvantables machines eussent été sur moi sans effet, et ils n'auroient pas plus troublé mon repos par toutes leurs trames qu'ils ne peuvent le troubler désormais par tous leurs succès ; qu'ils jouissent à leur gré de mon opprobre, ils ne m'empêcheront pas de jouir de mon innocence, et d'achever mes jours en paix malgré eux.

DEUXIÈME PROMENADE

AYANT donc formé le projet de décrire l'état habituel de mon âme dans la plus étrange position où se puisse jamais trouver un mortel, je n'ai vu nulle manière plus simple et plus sûre d'exécuter cette entreprise que de tenir un registre fidèle de mes promenades solitaires et des rêveries qui les remplissent, quand je laisse ma tête entièrement libre, et mes idées suivre leur pente sans résistance et sans gêne. Ces heures de solitude et de méditation sont les seules de la journée où je sois pleinement moi, et à moi sans diversion, sans obstacle, et où je puisse véritablement dire être ce que la nature a voulu.

J'ai bientôt senti que j'avois trop tardé d'exécuter ce projet. Mon imagination, déjà moins vive, ne s'enflamme plus comme autrefois à la contemplation de l'objet qui l'anime, je m'enivre moins du délire de la rêverie ; il y a plus de réminiscence que de création dans ce qu'elle produit désormais ; un tiède alanguissement énerve toutes mes facultés ; l'esprit de vie s'éteint en moi par degrés ; mon âme ne s'élance plus qu'avec peine hors de sa caduque enveloppe, et, sans l'espérance de l'état auquel j'aspire parce que je m'y sens avoir droit, je n'existerois plus que par des souvenirs. Ainsi, pour me contempler moi-même avant mon déclin, il faut que je remonte au moins de quelques années au tems où, perdant tout espoir ici-bas et ne trouvant plus d'aliment pour mon cœur sur la terre, je m'accoutumois peu à peu à le nourrir de sa propre substance, et à chercher toute sa pâture au-dedans de moi.

Cette ressource, dont je m'avisai trop tard, devint si féconde, qu'elle suffit bientôt pour me dédommager de tout. L'habitude de rentrer en moi-même me fit perdre enfin le sentiment et presque le souvenir de mes maux, j'appris ainsi par ma propre expérience que la source du vrai bonheur est en nous, et qu'il ne dépend pas des hommes de rendre vraiment misérable celui qui sait vouloir être heureux. Depuis quatre ou cinq ans je goûtois habituellement ces délices internes que trouvent dans la contemplation les âmes aimantes et douces. Ces ravissemens, ces extases, que j'éprouvois quelquefois en me promenant ainsi seul, étoient des jouissances que je devois à mes persécuteurs : sans eux je n'aurois jamais trouvé ni connu les trésors que je portois en moi-même. Au milieu de tant de richesses, comment en tenir un registre fidèle ? En voulant me rappeler tant de douces rêveries, au lieu de les décrire j'y retombois. C'est un état que son souvenir ramène, et qu'on cesseroit bientôt de connoître en cessant tout à fait de le sentir.

J'éprouvai bien cet effet dans les promenades qui suivirent le projet d'écrire la suite de mes *Confessions*, surtout dans celle dont je vais parler, et dans laquelle un accident imprévu vint rompre le fil de mes idées, et leur donner pour quelque tems un autre cours.

Le jeudi 24 octobre 1776, je suivis après dîné les boulevards jusqu'à la rue du Chemin-Vert, par laquelle je gagnois les hauteurs de Ménilmontant, et de là, prenant les sentiers à travers les vignes et les prairies, je traversai jusqu'à Charonne le riant paysage qui sépare ces deux villages ; puis je fis un détour pour revenir par les mêmes prairies, en prenant un autre chemin. Je m'amusois à les parcourir avec ce plaisir et cet intérêt que m'ont toujours donné les sites agréables, et m'arrêtant quelquefois à fixer des plantes dans la verdure. J'en aperçus deux que je voyois assez rarement autour de Paris, et que je trouvai très abondantes dans ce canton-là. L'une est le *Picris hieracioïdes*, de la famille des composées, et l'autre le *Bupleurum falcatum*, de celle des ombellifères. Cette découverte me réjouit et m'amusa très longtems, et finit par celle d'une plante encore plus rare, surtout dans un pays élevé, savoir le *Cerastium aquaticum*, que, malgré l'accident qui m'arriva le même jour, j'ai retrouvé dans un livre que j'avois sur moi, et placé dans mon herbier.

Enfin après avoir parcouru en détail plusieurs autres plantes que je voyois encore en fleurs, et dont l'aspect et l'énumération qui m'étoit familière me donnoient néanmoins toujours du plaisir, je quittai peu à peu ces menues observations pour me livrer à l'impression non moins agréable, mais plus touchante, que faisoit sur moi l'ensemble de tout cela. Depuis quelques jours on avoit achevé la vendange ; les promeneurs de la ville s'étoient déjà retirés ; les paysans aussi quittoient les champs jusqu'aux travaux d'hiver. La campagne, encore verte et riante, mais défeuillée en partie, et déjà presque déserte, offroit partout l'image de la solitude et des approches de l'hiver. Il résultoit de son aspect un mélange d'impression douce et triste, trop analogue à mon âge et à mon sort pour que je ne m'en fisse pas l'application. Je me voyois au déclin d'une vie innocente et infortunée, l'âme encore pleine de sentimens vivaces, et l'esprit encore orné de quelques fleurs, mais déjà flétries par la tristesse et desséchées par les ennuis. Seul et délaissé, je sentois venir le froid des premières glaces, et mon imagination tarissante ne peuploit plus ma solitude d'êtres formés selon mon cœur. Je me disois en soupirant : qu'ai-je fait ici-bas ? J'étois fait pour vivre, et je meurs sans avoir vécu. Au moins ce n'a pas été ma faute, et je porterai à l'Auteur de mon être, sinon l'offrande des bonnes œuvres qu'on ne m'a pas laissé faire, du moins un tribut de bonnes intentions frustrées, de

sentimens sains mais rendus sans effet, et d'une patience à
l'épreuve des mépris des hommes. Je m'attendrissois sur
ces réflexions, je récapitulois les mouvemens de mon âme dès
ma jeunesse, et pendant mon âge mûr, et depuis qu'on m'a
séquestré de la société des hommes, et durant la longue
retraite dans laquelle je dois achever mes jours. Je revenois
avec complaisance sur toutes les affections de mon cœur,
sur ses attachemens si tendres mais si aveugles, sur les idées
moins tristes que consolantes dont mon esprit s'étoit nourri
depuis quelques années, et je me préparois à les rappeler
assez pour les décrire avec un plaisir presque égal à celui que
j'avois pris à m'y livrer. Mon après-midi se passa dans ces
paisibles méditations, et je m'en revenois très content de ma
journée, quand au fort de ma rêverie, j'en fus tiré par l'événement qui me reste à raconter.

J'étois, sur les six heures, à la descente de Ménilmontant,
presque vis-à-vis du Galant Jardinier, quand des personnes
qui marchoient devant moi s'étant tout à coup brusquement
écartées, je vis fondre sur moi un gros chien danois qui,
s'élançant à toutes jambes devant un carrosse, n'eut pas
même le tems de retenir sa course ou de se détourner quand
il m'aperçut.[1] Je jugeai que le seul moyen que j'avois d'éviter
d'être jeté par terre étoit de faire un grand saut si juste, que
le chien passât sous moi tandis que je serois en l'air. Cette
idée, plus prompte que l'éclair, et que je n'eus le tems ni de
raisonner ni d'exécuter, fut la dernière avant mon accident.
Je ne sentis ni le coup, ni la chute, ni rien de ce qui s'ensuivit,
jusqu'au moment où je revins à moi.

Il étoit presque nuit quand je repris connoissance. Je me
trouvai entre les bras de trois ou quatre jeunes gens qui me
racontèrent ce qui venoit de m'arriver. Le chien danois
n'ayant pu retenir son élan s'étoit précipité sur mes deux
jambes, et, me choquant de sa masse et de sa vitesse, m'avoit
fait tomber la tête en avant ; la mâchoire supérieure, portant
tout le poids de mon corps, avoit frappé sur un pavé très
raboteux, et la chute avoit été d'autant plus violente, qu'étant
à la descente, ma tête avoit donné plus bas que mes pieds.
Le carrosse auquel appartenoit le chien suivoit immédiate-

ment, et m'auroit passé sur le corps si le cocher n'eût à
l'instant retenu ses chevaux.

Voilà ce que j'appris par le récit de ceux qui m'avoient
relevé et qui me soutenoient encore lorsque je revins à moi.
L'état auquel je me trouvai dans cet instant est trop singulier
pour n'en pas faire ici la description.

La nuit s'avançoit. J'aperçus le ciel, quelques étoiles, et
un peu de verdure. Cette première sensation fut un moment
délicieux. Je ne me sentois encore que par là. Je naissois
dans cet instant à la vie, et il me sembloit que je remplissois
de ma légère existence tous les objets que j'apercevois. Tout
entier au moment présent, je ne me souvenois de rien ; je
n'avois nulle notion distincte de mon individu, pas la moindre
idée de ce qui venoit de m'arriver ; je ne savois ni qui j'étois,
ni où j'étois ; je ne sentois ni mal, ni crainte, ni inquiétude.
Je voyois couler mon sang comme j'aurois vu couler un
ruisseau, sans songer seulement que ce sang m'appartînt en
aucune sorte. Je sentois dans tout mon être un calme
ravissant, auquel, chaque fois que je me le rappelle, je ne
trouve rien de comparable dans toute l'activité des plaisirs
connus.

On me demanda où je demeurois ; il me fut impossible de
le dire. Je demandai où j'étois ; on me dit à la Haute-Borne,
c'étoit comme si l'on m'eût dit au mont Atlas. Il fallut
demander successivement le pays, la ville et le quartier où
je me trouvois. Encore cela ne put-il suffire pour me reconnoître ; il me fallut tout le trajet de là jusqu'au boulevard
pour me rappeler ma demeure et mon nom. Un monsieur
que je ne connoissois pas, et qui eut la charité de m'accom-
pagner quelque tems, apprenant que je demeurois si loin,
me conseilla de prendre au Temple un fiacre pour me recon-
duire chez moi. Je marchois très bien, très légèrement, sans
sentir ni douleur ni blessure, quoique je crachasse toujours
beaucoup de sang ; mais j'avois un frisson glacial qui faisoit
claquer d'une façon très incommode mes dents fracassées.
Arrivé au Temple, je pensai que, puisque je marchois sans
peine, il valoit mieux continuer ainsi ma route à pied que
de m'exposer à périr de froid dans un fiacre. Je fis ainsi la

demi-lieue qu'il y a du Temple à la rue Plâtrière, marchant sans peine, évitant les embarras, les voitures, choisissant et suivant mon chemin tout aussi bien que j'aurois pu faire en pleine santé. J'arrive, j'ouvre le secret qu'on a fait mettre à la porte de la rue, je monte l'escalier dans l'obscurité, et j'entre enfin chez moi sans autre accident que ma chute et ses suites, dont je ne m'apercevois pas même encore alors.

Les cris de ma femme en me voyant me firent comprendre que j'étois plus maltraité que je ne pensois. Je passai la nuit sans connoître encore et sentir mon mal. Voici ce que je sentis et trouvai le lendemain. J'avois la lèvre supérieure fendue en dedans jusqu'au nez, en dehors, la peau l'avoit mieux garantie, et empêchoit la totale séparation, quatre dents enfoncées à la mâchoire supérieure, toute la partie du visage qui la couvre extrêmement enflée et meurtrie, le pouce droit foulé et très gros, le pouce gauche grièvement blessé, le bras gauche foulé, le genou gauche aussi très enflé, et qu'une contusion forte et douloureuse empêchoit totalement de plier. Mais avec tout ce fracas, rien de brisé, pas même une dent, bonheur qui tient du prodige dans une chute comme celle-là.

Voilà très fidèlement l'histoire de mon accident.[1] En peu de jours cette histoire se répandit dans Paris, tellement changée et défigurée, qu'il étoit impossible d'y rien connoître. J'aurois dû compter d'avance sur cette métamorphose ; mais il s'y joignit tant de circonstances bizarres, tant de propos obscurs et de réticences l'accompagnèrent, on m'en parloit d'un air si risiblement discret, que tous ces mystères m'inquiétèrent. J'ai toujours haï les ténèbres ; elles m'inspirent naturellement une horreur que celles dont on m'environne depuis tant d'années n'ont pas dû diminuer. Parmi toutes les singularités de cette époque, je n'en remarquerai qu'une, mais suffisante pour faire juger des autres.

M. ***,[2] avec lequel je n'avois jamais eu aucune relation, envoya son secrétaire s'informer de mes nouvelles, et me faire d'instantes offres de service qui ne me parurent pas, dans la circonstance, d'une grande utilité pour mon soulagement. Son secrétaire ne laissa pas de me presser très vivement de me prévaloir de ses offres, jusqu'à me dire que, si je ne me fiois pas à lui, je pouvois écrire directement à M. ***. Ce grand empressement, et l'air de confidence qu'il y joignit, me firent comprendre qu'il y avoit sous tout cela quelque mystère que je cherchois vainement à pénétrer. Il n'en falloit pas tant pour m'effaroucher, surtout dans l'état d'agitation où mon accident et la fièvre qui s'y étoit jointe avoient mis ma tête. Je me livrois à mille conjectures inquiétantes et tristes, et je faisois sur tout ce qui se passoit autour de moi des commentaires qui marquoient plutôt le délire de la fièvre que le sang-froid d'un homme qui ne prend plus d'intérêt à rien.

Un autre événement vint achever de troubler ma tranquillité. Mme *** [1] m'avoit recherché depuis quelques années, sans que je pusse deviner pourquoi. De petits cadeaux affectés, de fréquentes visites, sans objet et sans plaisir, me marquoient assez un but secret à tout cela, mais ne me le montroient pas. Elle m'avoit parlé d'un roman qu'elle vouloit faire pour le présenter à la reine. Je lui avois dit ce que je pensois des femmes auteurs. Elle m'avoit fait entendre que ce projet avoit pour but le rétablissement de sa fortune, pour lequel elle avoit besoin de protection ; je n'avois rien à répondre à cela. Elle me dit depuis que, n'ayant pu avoir accès auprès de la reine, elle étoit déterminée à donner son livre au public. Ce n'étoit plus le cas de lui donner des conseils qu'elle ne me demandoit pas, et qu'elle n'auroit pas suivis. Elle m'avoit parlé de me montrer auparavant le manuscrit. Je la priai de n'en rien faire, et elle n'en fit rien.

Un beau jour, durant ma convalescence, je reçus de sa part ce livre tout imprimé et même relié, et je vis dans la préface de si grosses louanges de moi, si maussadement plaquées et avec tant d'affectation, que j'en fus désagréablement affecté. La rude flagornerie qui s'y faisoit sentir ne s'allia jamais avec la bienveillance ; mon cœur ne sauroit se tromper là-dessus.

Quelques jours après, Mme *** me vint voir avec sa fille. Elle m'apprit que son livre faisoit le plus grand bruit à cause d'une note qui le lui attiroit ; j'avois à peine remarqué cette note en parcourant rapidement ce roman.   Je la relus après le départ de Mme *** ; j'en examinai la tournure ; j'y crus trouver le motif de ses visites, de ses cajoleries, des grossses louanges de sa préface ; et je jugeai que tout cela n'avoit d'autre but que de disposer le public à m'attribuer la note, et par conséquent le blâme qu'elle pouvoit attirer à son auteur dans la circonstance où elle étoit publiée.

Je n'avois aucun moyen de détruire ce bruit et l'impression qu'il pouvoit faire ; et tout ce qui dépendoit de moi étoit de ne pas l'entretenir en souffrant la continuation des vaines et ostensibles visites de Mme *** et de sa fille.   Voici pour cet effet le billet que j'écrivis à la mère :

« Rousseau, ne recevant chez lui aucun auteur, remercie Mme *** de ses bontés, et la prie de ne plus l'honorer de ses visites.»

Elle me répondit par une lettre honnête dans la forme, mais tournée comme toutes celles que l'on m'écrit en pareil cas.   J'avois barbarement porté le poignard dans son cœur sensible, et je devois croire, au ton de sa lettre, qu'ayant pour moi des sentimens si vifs et si vrais elle ne supporteroit point sans mourir cette rupture.   C'est ainsi que la droiture et la franchise en toute chose sont des crimes affreux dans le monde ; et je paroîtrois à mes contemporains méchant et féroce quand je n'aurois à leurs yeux d'autre crime que de n'être pas faux et perfide comme eux.

J'étois déjà sorti plusieurs fois, et je me promenois même assez souvent aux Tuileries, quand je vis, à l'étonnement de plusieurs de ceux qui me rencontroient, qu'il y avoit encore à mon égard quelque autre nouvelle que j'ignorois.   J'appris enfin que le bruit public étoit que j'étois mort de ma chute ; et ce bruit se répandit si rapidement et si opiniâtrément, que, plus de quinze jours après que j'en fus instruit, l'on en parla à la cour comme d'une chose sûre.   Le *Courrier d'Avignon*, à ce qu'on eut soin de m'écrire, annonçant cette heureuse nouvelle, ne manqua pas d'anticiper à cette occasion sur le tribut d'outrages et d'indignités qu'on prépare à ma mémoire après ma mort, en forme d'oraison funèbre.[1]

Cette nouvelle fut accompagnée d'une circonstance encore plus singulière que je n'appris que par hasard, et dont je n'ai pu savoir aucun détail.   C'est qu'on avoit ouvert en même temps une souscription pour l'impression des manuscrits que l'on trouveroit chez moi.   Je compris par là qu'on tenoit prêt un recueil d'écrits fabriqués tout exprès pour me les attribuer d'abord après ma mort : car de penser qu'on imprimât fidèlement aucun de ceux qu'on pourroit trouver en effet, c'étoit une bêtise qui ne pouvoit entrer dans l'esprit d'un homme sensé, et dont quinze ans d'expérience ne m'ont que trop garanti.

Ces remarques, faites coup sur coup, et suivies de beaucoup d'autres qui n'étoient guères moins étonnantes, effarouchèrent derechef mon imagination que je croyois amortie ; et ces noires ténèbres, qu'on renforçoit sans relâche autour de moi, ranimèrent toute l'horreur qu'elles m'inspirent naturellement.   Je me fatiguai à faire sur tout cela mille commentaires, et à tâcher de comprendre des mystères qu'on a rendus inexplicables pour moi.   Le seul résultat constant de tant d'énigmes fut la confirmation de toutes mes conclusions précédentes, savoir, que la destinée de ma personne, et celle de ma réputation, ayant été fixées de concert par toute la génération présente, nul effort de ma part ne pouvoit m'y soustraire, puisqu'il m'est de toute impossibilité de transmettre aucun dépôt à d'autres âges sans le faire passer dans celui-ci par des mains intéressées à le supprimer.

Mais cette fois j'allai plus loin.   L'amas de tant de circonstances fortuites, l'élévation de tous mes plus cruels ennemis, affectée, pour ainsi dire, par la fortune ; tous ceux qui gouvernent l'État, tous ceux qui dirigent l'opinion publique, tous les gens en place, tous les hommes en crédit [1] triés comme sur le volet parmi ceux qui ont contre moi quelque animosité secrète, pour concourir au commun complot, cet accord universel est trop extraordinaire pour être purement fortuit. Un seul homme qui eût refusé d'en être complice, un seul événement qui lui eût été contraire, une seule circonstance imprévue qui lui eût fait obstacle, suffisoit pour le faire échouer.   Mais toutes les volontés, toutes les fatalités, la fortune, et toutes les révolutions, ont affermi l'œuvre des hommes ; et un concours si frappant, qui tient du prodige, ne peut me laisser douter que son plein succès ne soit écrit dans les décrets éternels. Des foules d'observations particulières, soit dans le passé, soit dans le présent, me confirment tellement dans cette opinion, que je ne puis m'empêcher de regarder désormais comme un de ces secrets du Ciel impénétrables à la raison humaine la même œuvre que je n'envisageois jusqu'ici que comme un fruit de la méchanceté des hommes.

Cette idée, loin de m'être cruelle et déchirante, me console, me tranquillise, et m'aide à me résigner. Je ne vais pas si loin que saint Augustin, qui se fût consolé d'être damné si telle eût été la volonté de Dieu : ma résignation vient d'une source moins désintéressée, il est vrai, mais non moins pure, et plus digne à mon gré de l'Être parfait que j'adore.

Dieu est juste ; il veut que je souffre, et il sait que je suis innocent. Voilà le motif de ma confiance ; mon cœur et ma raison me crient qu'elle ne me trompera pas. Laissons donc faire les hommes et la destinée ; apprenons à souffrir sans murmure ; tout doit à la fin rentrer dans l'ordre, et mon tour viendra tôt ou tard.

TROISIÈME PROMENADE

« Je deviens vieux en apprenant toujours.»

SOLON répétoit souvent ce vers dans sa vieillesse. Il a un sens dans lequel je pourrois le dire aussi dans la mienne ; mais c'est une bien triste science que celle que depuis vingt ans l'expérience m'a fait acquérir : l'ignorance est encore préférable. L'adversité sans doute est un grand maître ; mais ce maître fait payer cher ses leçons, et souvent le profit qu'on en retire ne vaut pas le prix qu'elles ont coûté. D'ailleurs, avant qu'on ait obtenu tout cet acquis par des leçons si tardives, l'à-propos d'en user se passe. La jeunesse est le tems d'étudier la sagesse ; la vieillesse est le tems de la pratiquer. L'expérience instruit toujours, je l'avoue ; mais

elle ne profite que pour l'espace qu'on a devant soi.   Est-il
tems, au moment qu'il faut mourir, d'apprendre comment
on auroit dû vivre ?

Eh ! que me servent des lumières si tard et si douloureusement acquises sur ma destinée, et sur les passions d'autrui dont elle est l'œuvre ! Je n'ai appris à mieux connoître les
hommes que pour mieux sentir la misère où ils m'ont plongé,
sans que cette connoissance, en me découvrant tous leurs
pièges, m'en ait pu faire éviter aucun.   Que ne suis-je resté
toujours dans cette imbécile mais douce confiance qui me
rendit durant tant d'années la proie et le jouet de mes
bruyans amis, sans qu'enveloppé de toutes leurs trames j'en
eusse même le moindre soupçon ! J'étois leur dupe et leur
victime, il est vrai, mais je me croyois aimé d'eux, et mon
cœur jouissoit de l'amitié qu'ils m'avoient inspirée, en leur
en attribuant autant pour moi.   Ces douces illusions sont
détruites.   La triste vérité, que le tems et la raison m'ont
dévoilée, en me faisant sentir mon malheur, m'a fait voir
qu'il étoit sans remède, et qu'il ne me restoit qu'à m'y
résigner.   Ainsi toutes les expériences de mon âge sont
pour moi, dans mon état, sans utilité présente, et sans profit
pour l'avenir.

Nous entrons en lice à notre naissance, nous en sortons à
la mort.   Que sert d'apprendre à mieux conduire son char
quand on est au bout de la carrière ?   Il ne reste plus à
penser alors que comment on en sortira.   L'étude d'un
vieillard, s'il lui en reste encore à faire, est uniquement
d'apprendre à mourir ; et c'est précisément celle qu'on fait
le moins à mon âge ; on y pense à tout, hormis à cela.   Tous
les vieillards tiennent plus à la vie que les enfans, et en sortent
de plus mauvaise grâce que les jeunes gens.   C'est que, tous
leurs travaux ayant été pour cette vie, ils voient à sa fin
qu'ils ont perdu leurs peines.   Tous leurs soins, tous leurs
biens, tous les fruits de leurs laborieuses veilles, ils quittent
tout quand ils s'en vont.   Ils n'ont songé à rien acquérir
durant leur vie qu'ils pussent emporter à leur mort.

Je me suis dit tout cela quand il étoit tems de me le dire ;
et, si je n'ai pas mieux su tirer parti de mes réflexions, ce

n'est pas faute de les avoir faites à tems, et de les avoir bien digérées. Jeté dès mon enfance dans le tourbillon du monde, j'appris de bonne heure, par l'expérience, que je n'étois pas fait pour y vivre, et que je n'y parviendrois jamais à l'état dont mon cœur sentoit le besoin. Cessant donc de chercher parmi les hommes le bonheur que je sentois n'y pouvoir trouver, mon ardente imagination sautoit déjà par-dessus l'espace de ma vie à peine commencée, comme sur un terrain qui m'étoit étranger, pour se reposer sur une assiette tranquille où je pusse me fixer.

Ce sentiment, nourri par l'éducation dès mon enfance, et renforcé, durant toute ma vie, par ce long tissu de misères et d'infortunes qui l'a remplie, m'a fait chercher, dans tous les tems, à connoître la nature et la destination de mon être, avec plus d'intérêt et de soin que je n'en ai trouvé dans aucun autre homme. J'en ai beaucoup vu qui philosophoient bien plus doctement que moi, mais leur philosophie leur étoit pour ainsi dire étrangère. Voulant être plus savans que d'autres, ils étudioient l'univers pour savoir comment il étoit arrangé, comme ils auroient étudié quelque machine qu'ils auroient aperçue, par pure curiosité. Ils étudioient la nature humaine pour en pouvoir parler savamment, mais non pas pour se connoître ; ils travailloient pour instruire les autres, mais non pas pour s'éclairer en dedans. Plusieurs d'entre eux ne vouloient que faire un livre, n'importoit quel, pourvu qu'il fût accueilli. Quand le leur étoit fait et publié, son contenu ne les intéressoit plus en aucune sorte, si ce n'est pour le faire adopter aux autres et pour le défendre au cas qu'il fût attaqué, mais du reste sans en rien tirer pour leur propre usage, sans s'embarrasser même que ce contenu fût faux ou vrai, pourvu qu'il ne fût pas réfuté. Pour moi, quand j'ai désiré d'apprendre, c'étoit pour savoir moi-même et non pas pour enseigner ; j'ai toujours cru qu'avant d'instruire les autres il falloit commencer par savoir assez pour soi ; et de toutes les études que j'ai tâché de faire en ma vie au milieu des hommes, il n'y en a guères que je n'eusse faites également seul dans une île déserte où j'aurois été confiné pour le reste de mes jours. Ce qu'on doit faire

dépend beaucoup de ce qu'on doit croire ; et, dans tout ce
qui ne tient pas aux premiers besoins de la nature, nos
opinions sont la règle de nos actions. Dans ce principe, qui
fut toujours le mien, j'ai cherché souvent et longtems, pour
diriger l'emploi de ma vie, à connoître sa véritable fin, et
je me suis bientôt consolé de mon peu d'aptitude à me
conduire habilement dans ce monde, en sentant qu'il n'y
falloit pas chercher cette fin.

Né dans une famille où régnoient les mœurs et la piété ;
élevé ensuite avec douceur chez un ministre plein de sagesse
et de religion, j'avois reçu dès ma plus tendre enfance des
principes, des maximes, d'autres diroient des préjugés, qui
ne m'ont jamais tout à fait abandonné. Enfant encore, et
livré à moi-même, alléché par des caresses, séduit par la
vanité, leurré par l'espérance, forcé par la nécessité, je me
fis catholique, mais je demeurai toujours chrétien ; et
bientôt, gagné par l'habitude, mon cœur s'attacha sincèrement à ma nouvelle religion. Les instructions, les exemples
de Mᵐᵉ de Warens, m'affermirent dans cet attachement. La
solitude champêtre où j'ai passé la fleur de ma jeunesse,
l'étude des bons livres à laquelle je me livrai tout entier,
renforcèrent auprès d'elle mes dispositions naturelles aux
sentimens affectueux, et me rendirent dévot presque à la
manière de Fénelon. La méditation dans la retraite, l'étude
de la nature, la contemplation de l'univers, forcent un soli.
taire à s'élancer incessamment vers l'Auteur des choses, et
à chercher avec une douce inquiétude la fin de tout ce qu'il
voit et la cause de tout ce qu'il sent. Lorsque ma destinée
me rejeta dans le torrent du monde, je n'y retrouvai plus
rien qui pût flatter un moment mon cœur. Le regret de
mes doux loisirs me suivit partout, et jeta l'indifférence et le
dégoût sur tout ce qui pouvoit se trouver à ma portée, propre
à mener à la fortune et aux honneurs. Incertain dans mes
inquiets désirs, j'espérois peu, j'obtins moins, et je sentis,
dans des lueurs même de prospérité, que, quand j'aurois
obtenu tout ce que je croyois chercher, je n'y aurois point
trouvé ce bonheur dont mon cœur étoit avide sans en savoir
démêler l'objet. Ainsi tout contribuoit à détacher mes

affections de ce monde, même avant les malheurs qui devoient m'y rendre tout à fait étranger. Je parvins jusqu'à l'âge de quarante ans, flottant entre l'indigence et la fortune, entre la sagesse et l'égarement, plein de vices d'habitude sans aucun mauvais penchant dans le cœur, vivant au hasard sans principes bien décidés par ma raison, et distrait sur mes devoirs sans les mépriser, mais souvent sans les bien connoître.

Dès ma jeunesse j'avois fixé cette époque de quarante ans comme le terme de mes efforts pour parvenir, et celui de mes prétentions en tout genre ; bien résolu, dès cet âge atteint et dans quelque situation que je fusse, de ne plus me débattre pour en sortir, et de passer le reste de mes jours à vivre au jour la journée sans plus m'occuper de l'avenir. Le moment venu, j'exécutai ce projet sans peine, et, quoique alors ma fortune semblât pouvoir [1] prendre une assiette plus fixe, j'y renonçai, non seulement sans regret, mais avec un plaisir véritable. En me délivrant de tous ces leurres, de toutes ces vaines espérances, je me livrai pleinement à l'incurie et au repos d'esprit qui fut toujours mon goût le plus dominant et mon penchant le plus durable. Je quittai le monde et ses pompes. Je renonçai à toutes parures ; plus d'épée, plus de montre, plus de bas blancs, de dorure, de coiffure ; une perruque toute simple, un bon gros habit de drap ; et, mieux que tout cela, je déracinai de mon cœur les cupidités et les convoitises qui donnent du prix à tout ce que je quittois. Je renonçai à la place que j'occupois alors,[2] pour laquelle je n'étois nullement propre, et je me mis à copier de la musique à tant la page, occupation pour laquelle j'avois eu toujours un goût décidé.

Je ne bornai pas ma réforme aux choses extérieures. Je sentis que celle-là même en exigeoit une autre plus pénible, sans doute, mais plus nécessaire, dans les opinions ; et, résolu de n'en pas faire à deux fois, j'entrepris de soumettre mon intérieur à un examen sévère qui le réglât pour le reste de ma vie tel que je voulois le trouver à ma mort.

Une grande révolution qui venoit de se faire en moi ; un autre monde moral qui se dévoiloit à mes regards ; les insensés jugemens des hommes, dont, sans prévoir encore combien j'en serois la victime, je commençois à sentir l'absurdité ; le besoin toujours croissant d'un autre bien que la gloire [1] littéraire, dont à peine la vapeur m'avoit atteint que j'en étois déjà dégoûté ; le désir enfin de tracer pour le reste de ma carrière une route moins incertaine que celle dans laquelle j'en venois de passer la plus belle moitié ; tout m'obligeoit à cette grande revue dont je sentois depuis longtems le besoin. Je l'entrepris donc, et je ne négligeai rien de ce qui dépendoit de moi pour bien exécuter cette entreprise.

C'est de cette époque que je puis dater mon entier renoncement au monde, et ce goût vif pour la solitude, qui ne m'a plus quitté depuis ce tems-là. L'ouvrage que j'entreprenois ne pouvoit s'exécuter que dans une retraite absolue ; il demandoit de longues et paisibles méditations que le tumulte de la société ne souffre pas. Cela me força de prendre pour un tems une autre manière de vivre dont ensuite je me trouvai si bien, que, ne l'ayant interrompue depuis lors que par force et pour peu d'instans, je l'ai reprise de tout mon cœur et m'y suis borné sans peine, aussitôt que je l'ai pu ; et, quand ensuite les hommes m'ont réduit à vivre seul, j'ai trouvé qu'en me séquestrant pour me rendre misérable, ils avoient plus fait pour mon bonheur que je n'avois su faire moi-même.

Je me livrai au travail que j'avois entrepris avec un zèle proportionné et à l'importance de la chose, et au besoin que je sentois en avoir. Je vivois alors avec des philosophes modernes qui ne ressembloient guères aux anciens : au lieu de lever mes doutes et de fixer mes irrésolutions, ils avoient ébranlé toutes les certitudes que je croyois avoir sur les points qu'il m'importoit le plus de connoître : car, ardens missionnaires d'athéisme et très impérieux dogmatiques, ils n'enduroient point sans colère que, sur quelque point que ce pût être, on osât penser autrement qu'eux. Je m'étois défendu souvent assez foiblement, par haine pour la dispute et par peu de talent pour la soutenir ; mais jamais je n'adoptai leur désolante doctrine : et cette résistance à des hommes aussi intolérans, qui d'ailleurs avoient leurs vues, ne fut pas une des moindres causes qui attisèrent leur animosité.

Ils ne m'avoient pas persuadé, mais ils m'avoient inquiété. Leurs argumens m'avoient ébranlé sans m'avoir jamais convaincu ; je n'y trouvois point de bonne réponse, mais je sentois qu'il y en devoit avoir.   Je m'accusois moins d'erreur que d'ineptie, et mon cœur leur répondoit mieux que ma raison.

Je me dis enfin : Me laisserai-je éternellement ballotter par les sophismes des mieux disans, dont je ne suis pas même sûr que les opinions qu'ils prêchent et qu'ils ont tant d'ardeur à faire adopter aux autres soient bien les leurs à eux-mêmes ? Leurs passions, qui gouvernent leur doctrine, leur intérêt de faire croire ceci ou cela, rendent impossible à pénétrer ce qu'ils croient eux-mêmes. Peut-on chercher de la bonne foi dans des chefs de parti ? Leur philosophie est pour les autres ; il m'en faudroit une pour moi. Cherchons-la de toutes mes forces tandis qu'il est tems encore, afin d'avoir une règle fixe de conduite pour le reste de mes jours. Me voilà dans la maturité de l'âge, dans toute la force de l'entendement. Déjà je touche au déclin ; si j'attens encore, je n'aurai plus, dans ma délibération tardive, l'usage de toutes mes forces ; mes facultés intellectuelles auront déjà perdu de leur activité ; je ferai moins bien ce que je puis faire aujourd'hui de mon mieux possible ; saisissons ce moment favorable : il est l'époque de ma réforme externe et matérielle ; qu'il soit aussi celle de ma réforme intellectuelle et morale. Fixons une bonne fois mes opinions, mes principes ; et soyons pour le reste de ma vie ce que j'aurai trouvé devoir être après y avoir bien pensé.

J'exécutai ce projet lentement et à diverses reprises, mais avec tout l'effort et toute l'attention dont j'étois capable. Je sentois vivement que le repos du reste de mes jours et mon sort total en dépendoient. Je m'y trouvai d'abord dans un tel labyrinthe d'embarras, de difficultés, d'objections, de tortuosités, de ténèbres, que, vingt fois tenté de tout abandonner, je fus près, renonçant à de vaines recherches, de m'en tenir, dans mes délibérations, aux règles de la prudence commune, sans plus en chercher dans les principes que j'avois tant de peine à débrouiller. Mais cette prudence même m'étoit tellement étrangère, je me sentois si peu propre à l'acquérir, que la prendre pour mon guide n'étoit autre chose que vouloir, à travers les mers et les orages, chercher, sans gouvernail, sans boussole, un fanal presque inaccessible, et qui ne m'indiquoit aucun port.

Je persistai : pour la première fois de ma vie j'eus du courage, et je dois à son succès d'avoir pu soutenir l'horrible destinée qui dès lors commençoit à m'envelopper, sans que j'en eusse le moindre soupçon. Après les recherches les plus ardentes et les plus sincères qui jamais peut-être aient été faites par aucun mortel, je me décidai pour toute ma vie sur tous les sentimens qu'il m'importoit d'avoir ; et si j'ai pu me tromper dans mes résultats, je suis sûr au moins que mon erreur ne peut m'être imputée à crime : car j'ai fait tous mes efforts pour m'en garantir. Je ne doute point, il est vrai, que les préjugés de l'enfance et les vœux secrets de mon cœur n'aient fait pencher la balance du côté le plus consolant pour moi. On se défend difficilement de croire ce qu'on désire avec tant d'ardeur ; et qui peut douter que l'intérêt d'admettre ou rejeter les jugemens de l'autre vie ne détermine la foi de la plupart des hommes sur leur espérance ou leur crainte ? Tout cela pouvoit fasciner mon jugement, j'en conviens, mais non pas altérer ma bonne foi : car je craignois de me tromper sur toute chose. Si tout consistoit dans l'usage de cette vie, il m'importoit de le savoir, pour en tirer du moins le meilleur parti qu'il dépendroit de moi, tandis qu'il étoit encore tems, et n'être pas tout à fait dupe. Mais ce que j'avois le plus à redouter au monde, dans la disposition où je me sentois, étoit d'exposer le sort éternel de mon âme pour la jouissance des biens de ce monde, qui ne m'ont jamais paru d'un grand prix.

J'avoue encore que je ne levai pas toujours à ma satisfaction toutes ces difficultés qui m'avoient embarrassé, et dont nos philosophes avoient si souvent rebattu mes oreilles. Mais, résolu de me décider enfin sur des matières où l'intelli-

gence humaine a si peu de prise, et trouvant de toutes parts
des mystères impénétrables et des objections insolubles,
j'adoptai dans chaque question le sentiment qui me parut
le mieux établi directement, le plus croyable en lui-même,
sans m'arrêter aux objections que je ne pouvois résoudre,
mais qui se rétorquoient par d'autres objections non moins
fortes dans le système opposé. Le ton dogmatique sur ces
matières ne convient qu'à des charlatans ; mais il importe
d'avoir un sentiment pour soi, et de le choisir avec toute la
maturité de jugement qu'on y peut mettre. Si malgré cela
nous tombons dans l'erreur, nous n'en saurions porter la
peine en bonne justice puisque nous n'en aurons point la
coulpe. Voilà le principe inébranlable qui sert de base à
ma sécurité.

Le résultat de mes pénibles recherches fut tel, à peu près,
que je l'ai consigné depuis dans la *Profession de foi du Vicaire
savoyard*, ouvrage indignement prostitué et profané dans la
génération présente, mais qui peut faire un jour révolution
parmi les homme, si jamais il y renaît du bon sens et de la
bonne foi.[1]

Depuis lors, resté tranquille dans les principes que j'avois
adoptés après une méditation si longue et si réfléchie, j'en
ai fait la règle immuable de ma conduite et de ma foi, sans
plus m'inquiéter ni des objections que je n'avois pu résoudre,
ni de celles que je n'avois pu prévoir, et qui se présentoient
nouvellement de tems à autre à mon esprit. Elles m'ont
inquiété quelquefois, mais elles ne m'ont jamais ébranlé.
Je me suis toujours dit : « Tout cela ne sont que des arguties
et des subtilités métaphysiques, qui ne sont d'aucun poids
auprès des principes fondamentaux adoptés par ma raison,
confirmés par mon cœur, et qui tous portent le sceau de
l'assentiment intérieur dans le silence des passions. Dans
des matières si supérieures à l'entendement humain, une
objection que je ne puis résoudre renversera-t-elle tout un
corps de doctrine si solide, si bien liée, et formée avec tant
de méditation et de soin, si bien appropriée à ma raison, à
mon cœur, à tout mon être, et renforcée de l'assentiment
intérieur que je sens manquer à toutes les autres ? Non, de

vaines argumentations ne détruiront jamais la convenance que j'aperçois entre ma nature immortelle et la constitution de ce monde, et l'ordre physique que j'y vois régner : j'y trouve dans l'ordre moral correspondant, et dont le système est le résultat de mes recherches, les appuis dont j'ai besoin pour supporter les misères de ma vie. Dans tout autre système, je vivrois sans ressource et je mourrois sans espoir, Je serois la plus malheureuse des créatures. Tenons-nous en donc à celui qui seul suffit pour me rendre heureux en dépit de la fortune et des hommes. »

Cette délibération et la conclusion que j'en tirai ne semblent-elles pas avoir été dictées par le Ciel même pour me préparer à la destinée qui m'attendoit, et me mettre en état de la soutenir ? Que serois-je devenu, que deviendrois-je encore dans les angoisses affreuses qui m'attendoient et dans l'incroyable situation où je suis réduit pour le reste de ma vie, si, resté sans asile où je pusse échapper à mes implacables persécuteurs, sans dédommagement des opprobres qu'ils me font essuyer en ce monde, et sans espoir d'obtenir jamais la justice qui m'étoit due, je m'étois vu livré tout entier au plus horrible sort qu'ait éprouvé sur la terre aucun mortel ? Tandis que, tranquille dans mon innocence, je n'imaginois qu'estime et bienveillance pour moi parmi les hommes, tandis que mon cœur ouvert et confiant s'épanchoit avec des amis et des frères, les traîtres m'enlaçoient, en silence, de rets forgés au fond des enfers. Surpris par les plus imprévus de tous les malheurs et les plus terribles pour une âme fière, traîné dans la fange sans jamais savoir par qui ni pourquoi, plongé dans un abîme d'ignominie, enveloppé d'horribles ténèbres à travers lesquelles je n'apercevois que de sinistres objets, à la première surprise je fus terrassé, et jamais je ne serois revenu de l'abattement où me jeta ce genre imprévu de malheurs, si je ne m'étois ménagé d'avance des forces pour me relever dans mes chutes.

Ce ne fut qu'après des années d'agitation que, reprenant enfin mes esprits et commençant de rentrer en moi-même, je sentis le prix des ressources que je m'étois ménagées pour l'adversité. Décidé sur toutes les choses dont il m'importoit de juger, je vis, en comparant mes maximes à ma situation, que je donnois aux insensés jugemens des hommes, et aux petits événemens de cette courte vie, beaucoup plus d'importance qu'ils n'en avoient ; que, cette vie n'étant qu'un état d'épreuves, il importoit peu que ces épreuves fussent de telle ou telle sorte, pourvu qu'il en résultât l'effet auquel elles étoient destinées ; et que, par conséquent, plus les épreuves étoient grandes, fortes, multipliées, plus il étoit avantageux de les savoir soutenir. Toutes les plus vives peines perdent leur force pour quiconque en voit le dédommagement grand et sûr ; et la certitude de ce dédommagement étoit le principal fruit que j'avois retiré de mes méditations précédentes.

Il est vrai qu'au milieu des outrages sans nombre et des indignités sans mesure dont je me sentois accablé de toutes parts, des intervalles d'inquiétude et de doute venoient, de tems à autre, ébranler mon espérance et troubler ma tranquillité. Les puissantes objections que je n'avois pu résoudre se présentoient alors à mon esprit avec plus de force, pour achever de m'abattre précisément dans les momens où, surchargé du poids de ma destinée, j'étois prêt à tomber dans le découragement. Souvent des argumens nouveaux, que j'entendois faire, me revenoient dans l'esprit à l'appui de ceux qui m'avoient déjà tourmenté. Ah ! me disois-je alors dans des serremens de cœur prêts à m'étouffer, qui me garantira du désespoir, si, dans l'horreur de mon sort, je ne vois plus que des chimères dans les consolations que me fournissoit ma raison ; si, détruisant ainsi son propre ouvrage, elle renverse tout l'appui d'espérance et de confiance qu'elle m'avoit ménagé dans l'adversité ? Quel appui que des illusions qui ne bercent que moi seul au monde ! Toute la génération présente ne voit qu'erreurs et préjugés dans les sentimens dont je me nourris seul : elle trouve la vérité, l'évidence, dans le système contraire au mien ; elle semble même ne pouvoir croire que je l'adopte de bonne foi ; et moi-même, en m'y livrant de toute ma volonté, j'y trouve des difficultés insurmontables qu'il m'est impossible de résoudre, et qui ne m'empêchent pas d'y persister. Suis-je donc seul sage, seul éclairé parmi les mortels ? Pour croire que les choses sont ainsi, suffit-il qu'elles me conviennent ? Puis-je prendre une confiance éclairée en des apparences qui n'ont rien de solide aux yeux du reste des hommes, et qui me sembleroient illusoires à moi-même si mon cœur ne soutenoit pas ma raison ? N'eût-il pas mieux valu combattre mes persécuteurs à armes égales en adoptant leurs maximes, que de rester sur les chimères des miennes en proie à leurs atteintes sans agir pour les repousser ? Je me crois sage, et je ne suis que dupe, victime et martyr d'une vaine erreur.

Combien de fois, dans ces momens de doute et d'incertitude, je fus prêt à m'abandonner au désespoir. Si jamais j'avois passé dans cet état un mois entier, c'étoit fait de ma vie et de moi. Mais ces crises, quoique autrefois assez fréquentes, ont toujours été courtes ; et maintenant que je n'en suis pas délivré tout à fait encore, elles sont si rares et si rapides, qu'elles n'ont pas même la force de troubler mon repos. Ce sont de légères inquiétudes qui n'affectent pas plus mon âme qu'une plume qui tombe dans la rivière ne peut altérer le cours de l'eau. J'ai senti que remettre en délibération les mêmes points sur lesquels je m'étois ci-devant décidé, étoit me supposer de nouvelles lumières ou le jugement plus formé, ou plus de zèle pour la vérité que je n'avois lors de mes recherches ; qu'aucun de ces cas n'étant ni ne pouvant être le mien, je ne pouvois préférer, par aucune raison solide, des opinions qui, dans l'accablement du désespoir, ne me tentoient que pour augmenter ma misère, à des sentimens adoptés dans la vigueur de l'âge, dans toute la maturité de l'esprit, après l'examen le plus réfléchi, et dans des tems où le calme de ma vie ne me laissoit d'autre intérêt dominant que celui de connoître la vérité. Aujourd'hui que mon cœur serré de détresse, mon âme affaissée par les ennuis, mon imagination effarouchée, ma tête troublée par tant d'affreux mystères dont je suis environné, aujourd'hui que toutes mes facultés, affoiblies par la vieillesse et les angoisses, ont perdu tout leur ressort, irai-je m'ôter à plaisir toutes les ressources que je m'étois ménagées, et donner plus de confiance à ma raison déclinante pour me rendre injustement malheureux, qu'à ma raison pleine et vigoureuse pour me dédommager des maux que je souffre sans les avoir mérités ? Non, je ne suis ni plus sage ni mieux instruit, ni de meilleure foi, que quand je me décidai sur ces grandes questions ; je n'ignorois pas alors les difficultés dont je me laisse troubler aujourd'hui ; elles ne m'arrêtèrent pas, et, s'il s'en présente quelques nouvelles dont on ne s'étoit pas encore avisé, ce sont les sophismes d'une subtile métaphysique, qui ne sauroient balancer les vérités éternelles admises de tous les tems, par tous les sages, reconnues par toutes les nations, et gravées dans le cœur humain en caractères ineffaçables. Je savois, en méditant sur ces matières, que l'entendement humain, circonscrit par les sens, ne les pouvoit embrasser dans toute leur étendue. Je m'en tins donc à ce qui étoit à ma portée, sans m'engager dans ce qui la passoit. Ce parti étoit raisonnable ; je l'embrassai jadis, et m'y tins avec l'assentiment de mon cœur et de ma raison. Sur quel fondement y renoncerois-je, aujourd'hui que tant de puissans motifs m'y doivent tenir attaché ? Quel danger vois-je à le suivre ? Quel profit trouverois-je à l'abandonner ? En prenant la doctrine de mes persécuteurs, prendrois-je aussi leur morale ? Cette morale sans racine et sans fruit, qu'ils étalent pompeusement dans des livres ou dans quelque action d'éclat sur le théâtre, sans qu'il en pénètre jamais rien dans le cœur ni dans la raison [1] ; ou bien cette autre morale secrète et cruelle, doctrine intérieure de tous leurs initiés, à laquelle l'autre ne sert que de masque, qu'ils suivent seule dans leur conduite, et qu'ils ont si habilement pratiquée à mon égard. Cette morale, purement offensive, ne sert point à la défense, et n'est bonne qu'à l'agression. De quoi me serviroit-elle dans l'état où ils m'ont réduit ? Ma seule innocence me soutient dans les malheurs, et combien me rendrois-je plus malheureux encore, si, m'ôtant cette unique mais puissante ressource, j'y substituois la méchanceté ? Les atteindrois-je dans l'art de nuire ? et, quand j'y réussirois, de quel mal me soulageroit celui que je leur pourrois faire ? Je perdrois ma propre estime, et je ne gagnerois rien à la place.

E

C'est ainsi que, raisonnant avec moi-même, je parvins à ne plus me laisser ébranler dans mes principes par des argumens captieux, par des objections insolubles, et par des difficultés qui passoient ma portée et peut-être celle de l'esprit humain. Le mien, restant dans la plus solide assiette que j'avois pu lui donner, s'accoutuma si bien à s'y reposer à l'abri de ma conscience, qu'aucune doctrine étrangère, ancienne ou nouvelle, ne peut plus l'émouvoir, ni troubler un instant mon repos.   Tombé dans la langueur et l'appesantissement d'esprit, j'ai oublié jusqu'aux raisonnemens sur lesquels je fondois ma croyance et mes maximes ; mais je n'oublierai jamais les conclusions que j'en ai tirées avec l'approbation de ma conscience et de ma raison, et je m'y tiens désormais. Que tous les philosophes viennent ergoter contre : ils perdront leur tems et leurs peines. Je me tiens, pour le reste de ma vie, en toute chose, au parti que j'ai pris quand j'étois plus en état de bien choisir.

Tranquille dans ces dispositions, j'y trouve, avec le contentement de moi, l'espérance et les consolations dont j'ai besoin dans ma situation. Il n'est pas possible qu'une solitude aussi complète, aussi permanente, aussi triste en elle-même, l'animosité toujours sensible et toujours active de toute la génération présente, les indignités dont elle m'accable sans cesse, ne me jettent quelquefois dans l'abattement ; l'espérance ébranlée, les doutes décourageans, reviennent encore de tems à autre troubler mon âme et la remplir de tristesse. C'est alors qu'incapable des opérations de l'esprit nécessaires pour me rassurer moi-même, j'ai besoin de me rappeler mes anciennes résolutions, les soins, l'attention, la sincérité de cœur, que j'ai mis à les prendre, viennent alors à mon souvenir, et me rendent toute ma confiance. Je me refuse ainsi à toutes nouvelles idées comme à des erreurs funestes qui n'ont qu'une fausse apparence et ne sont bonnes qu'à troubler mon repos.

Ainsi retenu dans l'étroite sphère de mes anciennes connoissances, je n'ai pas, comme Solon, le bonheur de pouvoir m'instruire chaque jour en vieillissant, et je dois même me garantir du dangereux orgueil de vouloir apprendre ce qu

je suis désormais hors d'état de bien savoir. Mais, s'il me
reste peu d'acquisitions à espérer du côté des lumières utiles,
il m'en reste de bien importantes à faire du côté des vertus
nécessaires à mon état. C'est là qu'il seroit tems d'enrichir
et d'orner mon âme d'un acquis qu'elle pût emporter avec
elle, lorsque délivrée de ce corps qui l'offusque et l'aveugle,
et voyant la vérité sans voile, elle apercevra la misère de
toutes ces connoissances dont nos faux savans sont si vains.
Elle gémira des momens perdus en cette vie à les vouloir
acquérir. Mais la patience, la douceur, la résignation,
l'intégrité, la justice impartiale, sont un bien qu'on emporte
avec soi, et dont on peut s'enrichir sans cesse, sans craindre
que la mort même nous en fasse perdre le prix. C'est à cette
unique et utile étude que je consacre le reste de ma vieillesse.
Heureux si, par mes progrès sur moi-même, j'apprens à
sortir de la vie, non meilleur, car cela n'est pas possible, mais
plus vertueux que je n'y suis entré !

QUATRIÈME PROMENADE

DANS le petit nombre de livres que je lis quelquefois encore,
Plutarque est celui qui m'attache et me profite le plus. Ce
fut la première lecture de mon enfance, ce sera la dernière de
ma vieillesse : c'est presque le seul Auteur que je n'ai jamais
lu sans en tirer quelque fruit. Avant-hier, je lisois dans ses
œuvres morales le traité *Comment on pourra tirer utilité de
ses ennemis* ? Le même jour, en rangeant quelques brochures
qui m'ont été envoyées par les Auteurs, je tombai sur un des
journaux de l'abbé R***,[1] au titre duquel il avoit mis ces
paroles : *Vitam vero impendenti,* R***. Trop au fait des
tournures de ces Messieurs pour prendre le change sur celle-là,
je compris qu'il avoit cru sous cet air de politesse me dire
une cruelle contre-vérité ; mais sur quoi fondé ? Pourquoi
ce sarcasme ?[2] Quel sujet y pouvois-je avoir donné ? Pour
mettre à profit les leçons du bon Plutarque, je résolus
d'employer à m'examiner sur le mensonge la promenade du

lendemain, et j'y vins bien confirmé dans l'opinion déjà prise que le *Connois-toi toi-même* du temple de Delphes n'étoit pas une maxime si facile à suivre que je l'avois cru dans mes *Confessions*.

Le lendemain, m'étant mis en marche pour exécuter cette résolution, la première idée qui me vint, en commençant à me recueillir, fut celle d'un mensonge affreux fait dans ma première jeunesse,[1] dont le souvenir m'a troublé toute ma vie, et vient, jusque dans ma vieillesse, contrister encore mon cœur déjà navré de tant d'autres façons. Ce mensonge, qui fut un grand crime en lui-même, en dut être un plus grand encore par ses effets que j'ai toujours ignorés, mais que le remords m'a fait supposer aussi cruels qu'il étoit possible. Cependant, à ne considérer que la disposition où j'étois en le faisant, ce mensonge ne fut qu'un fruit de la mauvaise honte, et bien loin qu'il partît d'une intention de nuire à celle qui en fut la victime, je puis jurer à la face du Ciel qu'à l'instant même où cette honte invincible me l'arrachoit, j'aurois donné tout mon sang avec joie pour en détourner l'effet sur moi seul. C'est un délire que je ne puis expliquer qu'en disant, comme je crois le sentir, qu'en cet instant mon naturel timide subjugua tous les vœux de mon cœur.

Le souvenir de ce malheureux acte, et les inextinguibles regrets qu'il m'a laissés, m'ont inspiré pour le mensonge une horreur qui a dû garantir mon cœur de ce vice pour le reste de ma vie. Lorsque je pris ma devise, je me sentois fait pour la mériter, et je ne doutois pas que je n'en fusse digne quand, sur le mot de l'abbé R***, je commençai de m'examiner plus sérieusement.

Alors, en m'épluchant avec plus de soin, je fus bien surpris du nombre de choses de mon invention que je me rappelois avoir dites comme vraies dans le même tems où, fier en moi-même de mon amour pour la vérité, je lui sacrifiois ma sûreté, mes intérêts, ma personne, avec une impartialité dont je ne connois nul autre exemple parmi les humains.

Ce qui me surprit le plus étoit qu'en me rappelant ces choses controuvées, je n'en sentois aucun vrai repentir. Moi dont l'horreur pour la fausseté n'a rien dans mon cœur qui la balance, moi qui braverois les supplices s'il les falloit éviter par un mensonge, par quelle bizarre inconséquence mentois-je ainsi de gaîté de cœur sans nécessité, sans profit, et par quelle inconcevable contradiction n'en sentois-je pas le moindre regret, moi que le remords d'un mensonge n'a cessé d'affliger pendant cinquante ans ? Je ne me suis jamais endurci sur mes fautes ; l'instinct moral m'a toujours bien conduit, ma conscience a gardé sa première intégrité, et, quand même elle se seroit altérée en se pliant à mes intérêts, comment, gardant toute sa droiture dans les occasions où l'homme, forcé par ses passions, peut au moins s'excuser sur sa foiblesse, la perd-elle uniquement dans les choses indifférentes où le vice n'a point d'excuse ? Je vis que de la solution de ce problème dépendoit la justesse du jugement que j'avois à porter en ce point sur moi-même, et, après l'avoir bien examiné, voici de quelle manière je parvins à me l'expliquer.

Je me souviens d'avoir lu dans un livre de philosophie que mentir c'est cacher une vérité que l'on doit manifester. Il suit bien de cette définition que taire une vérité qu'on n'est pas obligé de dire n'est pas mentir : mais celui qui, non content en pareil cas de ne pas dire la vérité, dit le contraire, ment-il alors, ou ne ment-il pas ? Selon la définition, l'on ne sauroit dire qu'il ment. Car, s'il donne de la fausse monnoie à un homme auquel il ne doit rien, il trompe cet homme, sans doute, mais il ne le vole pas.

Il se présente ici deux questions à examiner, très importantes l'une et l'autre. La première, quand et comment on doit à autrui la vérité, puisqu'on ne la doit pas toujours. La seconde, s'il est des cas où l'on puisse tromper innocemment. Cette seconde question est très décidée, je le sais bien : négativement dans les livres, où la plus austère morale ne coûte rien à l'Auteur ; affirmativement dans la société, où la morale des livres passe pour un bavardage impossible à pratiquer. Laissons donc ces autorités qui se contredisent, et cherchons, par mes propres principes, à résoudre pour moi ces questions.

La vérité générale et abstraite est le plus précieux de tous les biens.   Sans elle l'homme est aveugle ; elle est l'œil de la raison.   C'est par elle que l'homme apprend à se conduire, à être ce qu'il doit être, à faire ce qu'il doit faire, à tendre à sa véritable fin.   La vérité particulière et individuelle n'est pas toujours un bien, elle est quelquefois un mal, très souvent une chose indifférente.   Les choses qu'il importe à un homme de savoir, et dont la connoissance est nécessaire à son bonheur, ne sont peut-être pas en grand nombre, mais en quelque nombre qu'elles soient, elles sont un bien qui lui appartient, qu'il a droit de réclamer partout où il le trouve, et dont on ne peut le frustrer sans commettre le plus inique de tous les vols, puisqu'elle est de ces biens communs à tous dont la communication n'en prive point celui qui le donne.

Quant aux vérités qui n'ont aucune sorte d'utilité, ni pour l'instruction, ni dans la pratique, comment seroient-elles un bien dû, puisqu'elles ne sont pas même un bien ? et puisque la propriété n'est fondée que sur l'utilité, où il n'y a point d'utilité possible il ne peut y avoir de propriété.   On peut réclamer un terrain quoique stérile, parce qu'on peut au moins habiter sur le sol ; mais qu'un fait oiseux, indifférent à tous égards, et sans conséquence pour personne, soit vrai ou faux, cela n'intéresse qui que ce soit.   Dans l'ordre moral rien n'est inutile, non plus que dans l'ordre physique.   Rien ne peut être dû de ce qui n'est bon à rien ; pour qu'une chose soit due, il faut qu'elle soit ou puisse être utile.   Ainsi, la vérité due est celle qui intéresse la justice, et c'est profaner ce nom sacré de vérité que de l'appliquer aux choses vaines dont l'existence est indifférente à tous, et dont la connoissance est inutile à tout.   La vérité, dépouillée de toute espèce d'utilité même possible, ne peut donc pas être une chose due, et, par conséquent, celui qui la tait ou la déguise ne ment point.

Mais est-il de ces vérités si parfaitement stériles qu'elles soient de tout point inutiles à tout, c'est un autre article à discuter, et auquel je reviendrai tout à l'heure.   Quant à présent, passons à la seconde question.

Ne pas dire ce qui est vrai, et dire ce qui est faux, sont deux choses très différentes, mais dont peut néanmoins résulter le même effet ; car ce résultat est assurément bien le même toutes les fois que cet effet est nul. Partout où la vérité est indifférente, l'erreur contraire est indifférente aussi : d'où il suit qu'en pareil cas celui qui trompe en disant le contraire de le vérité n'est pas plus injuste que celui qui trompe en ne la déclarant pas ; car, en fait de vérités inutiles, l'erreur n'a rien de pire que l'ignorance. Que je croie le sable qui est au fond de la mer blanc ou rouge, cela ne m'importe pas plus que d'ignorer de quelle couleur il est. Comment pourroit-on être injuste en ne nuisant à personne, puisque l'injustice ne consiste que dans le tort fait à autrui ?

Mais ces questions, ainsi sommairement décidées, ne sauroient me fournir encore aucune application sûre pour la pratique, sans beaucoup d'éclaircissemens préalables néces- saires pour faire avec justesse cette application dans tous les cas qui peuvent se présenter. Car si l'obligation de dire la vérité n'est fondée que sur son utilité, comment me cons- tituerai-je juge de cette utilité ? Très souvent l'avantage de l'un fait le préjudice de l'autre, l'intérêt particulier est presque toujours en opposition avec l'intérêt public. Com- ment se conduire en pareil cas ? Faut-il sacrifier l'utilité de l'absent à celle de la personne à qui l'on parle ? Faut-il taire ou dire la vérité qui, profitant à l'un, nuit à l'autre ? Faut-il peser tout ce qu'on doit dire à l'unique balance du bien public, ou à celle de la justice distributive ? et suis-je assuré de con- noître assez tous les rapports de la chose pour ne dispenser les lumières dont je dispose que sur les règles de l'équité ? De plus, en examinant ce qu'on doit aux autres, ai-je examiné suffisamment ce qu'on se doit à soi-même, ce qu'on doit à la vérité pour elle seule ? Si je ne fais aucun tort à un autre en le trompant, s'ensuit-il que je ne m'en fasse point à moi- même, et suffit-il de n'être jamais injuste pour être toujours innocent ?

Que d'embarrassantes discussions dont il seroit aisé de se tirer en se disant : Soyons toujours vrais, au risque de tout ce qui en peut arriver. La justice elle-même est dans la vérité des choses ; le mensonge est toujours iniquité, l'erreur est toujours imposture, quand on donne ce qui n'est pas pour la règle de ce qu'on doit faire ou croire. Et, quelque effet qui résulte de la vérité, on est toujours inculpable quand on l'a dite, parce qu'on n'y a rien mis du sien.

Mais c'est là trancher la question sans la résoudre. Il ne s'agissoit pas de prononcer s'il seroit bon de dire toujours la vérité, mais si l'on y étoit toujours également obligé ; et, sur la définition que j'examinois, supposant que non, de distinguer les cas où la vérité est rigoureusement due, de ceux où l'on peut la taire sans injustice et la déguiser sans mensonge : car j'ai trouvé que de tels cas existoient réellement. Ce dont il s'agit est donc de chercher une règle sûre pour les connoître et les bien déterminer.

Mais d'où tirer cette règle et la preuve de son infaillibilité ?... Dans toutes les questions de morale difficiles comme celle-ci, je me suis toujours bien trouvé de les résoudre par le dictamen de ma conscience plutôt que par les lumières de ma raison. Jamais l'instinct moral ne m'a trompé ; il a gardé jusqu'ici sa pureté dans mon cœur assez pour que je puisse m'y confier, et, s'il se tait quelquefois devant mes passions dans ma conduite, il reprend bien son empire sur elle dans mes souvenirs. C'est là que je me juge moi-même avec autant de sévérité peut-être que je serai jugé par le Souverain Juge après cette vie.

Juger des discours des hommes par les effets qu'ils produisent, c'est souvent mal les apprécier. Outre que ces effets ne sont pas toujours sensibles et faciles à connoître, ils varient à l'infini comme les circonstances dans lesquelles ces discours sont tenus. Mais c'est uniquement l'intention de celui qui les tient, qui les apprécie, et détermine leur degré de malice ou de bonté. Dire faux n'est mentir que par l'intention de tromper, et l'intention même de tromper, loin d'être toujours jointe avec celle de nuire, a quelquefois un but tout contraire. Mais pour rendre un mensonge innocent il ne suffit pas que l'intention de nuire ne soit pas expresse, il faut de plus la certitude que l'erreur dans laquelle on jette ceux à qui l'on parle ne peut nuire à eux ni à personne en quelque façon que ce soit. Il est rare et difficile qu'on puisse avoir cette certitude ; aussi est-il difficile et rare qu'un mensonge soit parfaitement innocent. Mentir pour son avantage à soi-même est imposture, mentir pour l'avantage d'autrui est fraude, mentir pour nuire est calomnie : c'est la pire espèce de mensonge. Mentir sans profit ni préjudice de soi ni d'autrui n'est pas mentir : ce n'est pas mensonge, c'est fiction.

Les fictions qui ont un objet moral s'appellent apologues ou fables, et, comme leur objet n'est ou ne doit être que d'envelopper des vérités utiles sous des formes sensibles et agréables, en pareil cas on ne s'attache guères à cacher le mensonge de fait, qui n'est que l'habit de la vérité ; et celui qui ne débite une fable que pour une fable ne ment en aucune façon.

Il est d'autres fictions purement oiseuses, telles que sont la plupart des contes et des romans, qui, sans renfermer aucune instruction véritable, n'ont pour objet que l'amusement. Celles-là, dépouillées de toute utilité morale, ne peuvent s'apprécier que par l'intention de celui qui les invente, et, lorsqu'il les débite avec affirmation comme des vérités réelles, on ne peut guères disconvenir qu'elles ne soient de vrais mensonges. Cependant, qui jamais s'est fait un grand scrupule de ces mensonges-là, et qui jamais en a fait un reproche grave à ceux qui les font ? S'il y a, par exemple, quelque objet moral dans le *Temple de Gnide*,[1] cet objet est bien offusqué et gâté par les détails voluptueux et par les images lascives. Qu'a fait l'Auteur pour couvrir cela d'un vernis de modestie ? Il a feint que son ouvrage étoit la traduction d'un manuscrit grec, et il a fait l'histoire de la découverte de ce manuscrit de la façon la plus propre à persuader ses lecteurs de la vérité de son récit. Si ce n'est pas là un mensonge bien positif, qu'on me dise donc ce que c'est que mentir. Cependant, qui est-ce qui s'est avisé de faire à l'Auteur un crime de ce mensonge, et de le traiter pour cela d'imposteur ?

On dira vainement que ce n'est là qu'une plaisanterie, que l'Auteur, tout en affirmant, ne vouloit persuader personne, qu'il n'a persuadé personne en effet, et que le public n'a pas douté un moment qu'il ne fût l'Auteur lui-même de l'ouvrage prétendu grec dont il se donnoit pour le traducteur. Je répondrai qu'une pareille plaisanterie sans aucun objet n'eût été qu'un bien sot enfantillage, qu'un menteur ne ment pas moins quand il affirme, quoiqu'il ne persuade pas, qu'il faut détacher du public instruit des multitudes de lecteurs simples et crédules, à qui l'histoire du manuscrit, narrée par un Auteur grave avec un air de bonne foi, en a réellement imposé, et qui ont bu sans crainte, dans une coupe de forme antique, le poison dont ils se seroient au moins défiés s'il leur eût été présenté dans un vase moderne.

Que ces distinctions se trouvent ou non dans les livres, elles ne s'en font [1] pas moins dans le cœur de tout homme de bonne foi avec lui-même, qui ne veut rien se permettre que sa conscience puisse lui reprocher. Car dire une chose fausse à son avantage n'est pas moins mentir que si on la disoit au préjudice d'autrui, quoique le mensonge soit moins criminel. Donner l'avantage à qui ne doit pas l'avoir, c'est troubler l'ordre de la justice ; attribuer faussement à soi-même ou à autrui un acte d'où peut résulter louange ou blâme, inculpation ou disculpation, c'est faire une chose injuste ; or tout ce qui, contraire à la vérité, blesse la justice en quelque façon que ce soit, est mensonge. Voilà la limite exacte : mais tout ce qui, contraire à la vérité, n'intéresse la justice en aucune sorte, n'est que fiction ; et j'avoue que quiconque se reproche une pure fiction comme un mensonge a la conscience plus délicate que moi.

Ce qu'on appelle mensonges officieux sont de vrais mensonges, parce qu'en imposer à l'avantage soit d'autrui, soit de soi-même, n'est pas moins injuste que d'en imposer à son détriment. Quiconque loue ou blâme contre la vérité ment dès qu'il s'agit d'une personne réelle. S'il s'agit d'un être imaginaire, il en peut dire tout ce qu'il veut sans mentir, à moins qu'il ne juge sur la moralité des faits qu'il invente, et qu'il n'en juge faussement : car alors, s'il ne ment pas dans le fait, il ment contre la vérité morale, cent fois plus respectable que celle des faits.

J'ai vu de ces gens qu'on appelle vrais dans le monde. Toute leur véracité s'épuise dans les conversations oiseuses à citer fidèlement les lieux, les tems, les personnes, à ne se permettre aucune fiction, à ne broder aucune circonstance, à ne rien exagérer.   En tout ce qui ne touche point à leur intérêt, ils sont dans leurs narrations de la plus inviolable fidélité.   Mais s'agit-il de traiter quelque affaire qui les regarde, de narrer quelque fait qui leur touche de près, toutes les couleurs sont employées pour présenter les choses sous le jour qui leur est le plus avantageux, et si le mensonge leur est utile et qu'ils s'abstiennent de le dire eux-mêmes, ils le favorisent avec adresse, et font en sorte qu'on l'adopte sans le leur pouvoir imputer.   Ainsi le veut la prudence : adieu la véracité.

L'homme que j'appelle *vrai* fait tout le contraire.   En choses parfaitement indifférentes, la vérité, qu'alors l'autre respecte si fort, le touche fort peu, el il ne se fera guères de scrupule d'amuser une compagnie par des faits controuvés dont il ne résulte aucun jugement injuste, ni pour ni contre qui que ce soit vivant ou mort.   Mais tout discours qui produit pour quelqu'un profit ou dommage, estime ou mépris, louange ou blâme, contre la justice et la vérité, est un mensonge qui jamais n'approchera de son cœur, ni de sa bouche, ni de sa plume.   Il est solidement *vrai*, même contre son intérêt, quoiqu'il se pique assez peu de l'être dans les conversations oiseuses.   Il est *vrai* en ce qu'il ne cherche à tromper personne, qu'il est aussi fidèle à la vérité qui l'accuse qu'à celle qui l'honore, et qu'il n'en impose jamais pour son avantage, ni pour nuire à son ennemi.   La différence donc qu'il y a entre un homme *vrai* et l'autre, est que celui du monde est très rigoureusement fidèle à toute vérité qui ne lui coûte rien, mais pas au-delà, et que le mien ne la sert jamais si fidèlement que quand il faut s'immoler pour elle.

Mais, diroit-on, comment accorder ce relâchement avec cet ardent amour pour la vérité dont je le glorifie ?   Cet amour est donc faux, puisqu'il souffre tant d'alliage ?   Non, il est pur et vrai ; mais il n'est qu'une émanation de l'amour de la justice, et ne veut jamais être faux, quoiqu'il soit souvent fabuleux.   Justice et vérité sont dans son esprit deux mots synonymes, qu'il prend l'un pour l'autre indifféremment.   La sainte vérité, que son cœur adore, ne consiste point en faits indifférens et en noms inutiles, mais à rendre fidèlement à chacun ce qui lui est dû en choses qui sont véritablement siennes, en imputations bonnes ou mauvaises, en rétributions d'honneur ou de blâme, de louange ou d'improbation. Il n'est faux ni contre autrui, parce que son équité l'en empêche et qu'il ne veut nuire à personne injustement, ni pour lui-même, parce que sa conscience l'en empêche, et qu'il ne sauroit s'approprier ce qui n'est pas à lui. C'est surtout de sa propre estime qu'il est jaloux ; c'est le bien dont il peut le moins se passer, et il sentiroit une perte réelle d'acquérir celle des autres aux dépens de ce bien-là. Il mentira donc quelquefois en choses indifférentes, sans scrupule et sans croire mentir, jamais pour le dommage ou le profit d'autrui ni de lui-même. En tout ce qui tient aux vérités historiques, en tout ce qui a trait à la conduite des hommes, à la justice, à la sociabilité, aux lumières utiles, il garantira de l'erreur et lui-même et les autres, autant qu'il dépendra de lui. Tout mensonge hors de là, selon lui, n'en est pas un. Si le *Temple de Gnide* est un ouvrage utile, l'histoire du manuscrit grec n'est qu'une fiction très innocente ; elle est un mensonge très punissable si l'ouvrage est dangereux.

Telles furent mes règles de conscience sur le mensonge et sur la vérité. Mon cœur suivoit machinalement ces règles avant que ma raison les eût adoptées, et l'instinct moral en fit seul l'application. Le criminel mensonge dont la pauvre Marion fut la victime m'a laissé d'ineffaçables remords, qui m'ont garanti tout le reste de ma vie non seulement de tout mensonge de cette espèce, mais de tous ceux qui, de quelque façon que ce pût être, pouvoient toucher l'intérêt et la réputation d'autrui. En généralisant ainsi l'exclusion, je me suis dispensé de peser exactement l'avantage et le préjudice, et de marquer les limites précises du mensonge nuisible et du mensonge officieux ; en regardant l'un et l'autre comme coupables, je me les suis interdits tous les deux.

En ceci comme en tout le reste, mon tempérament a beaucoup influé sur mes maximes, ou plutôt sur mes habitudes ; car je n'ai guères agi par règle, ou n'ai guères suivi d'autres règles en toute chose que les impulsions de mon naturel.

Jamais mensonge prémédité n'approcha de ma pensée, jamais je n'ai menti pour mon intérêt ; mais souvent j'ai menti par honte, pour me tirer d'embarras en choses indifférentes, ou qui n'intéressoient tout au plus que moi seul, lorsqu'ayant à soutenir un entretien, la lenteur de mes idées et l'aridité de ma conversation me forçoient de recourir aux fictions pour avoir quelque chose à dire. Quand il faut nécessairement parler, et que des vérités amusantes ne se présentent pas assez tôt à mon esprit, je débite des fables pour ne pas demeurer muet ; mais, dans l'invention de ces fables, j'ai soin, tant que je puis, qu'elles ne soient pas des mensonges c'est-à-dire qu'elles ne blessent ni la justice ni la vérité due, et qu'elles ne soient que des fictions indifférentes à tout le monde et à moi. Mon désir seroit bien d'y substituer au moins à la vérité des faits une vérité morale, c'est-à-dire d'y bien représenter les affections naturelles au cœur humain, et d'en faire sortir toujours quelque instruction utile, d'en faire, en un mot, des contes moraux, des apologues ; mais il faudroit plus de présence d'esprit que je n'en ai, et plus de facilité dans la parole pour savoir mettre à profit pour l'instruction le babil de la conversation. Sa marche, plus rapide que celle de mes idées, me forçant presque toujours de parler avant de penser, m'a souvent suggéré des sottises et des inepties que ma raison désapprouvoit, et que mon cœur désavouoit à mesure qu'elles échappoient de ma bouche, mais qui, précédant mon propre jugement, ne pouvoient plus être réformées par sa censure.

C'est encore par cette première et irrésistible impulsion du tempérament que, dans des momens imprévus et rapides, la honte et la timidité m'arrachent souvent des mensonges auxquels ma volonté n'a point de part, mais qui la précèdent en quelque sorte par la nécessité de répondre à l'instant. L'impression profonde du souvenir de la pauvre Marion peut bien retenir toujours ceux qui pourroient être nuisibles à d'autres, mais non pas ceux qui peuvent servir à me tirer d'embarras quand il s'agit de moi seul, ce qui n'est pas moins contre ma conscience et mes principes que ceux qui peuvent influer sur le sort d'autrui.

J'atteste le Ciel que, si je pouvois l'instant d'après retirer le mensonge qui m'excuse, et dire la vérité qui me charge, sans me faire un nouvel affront en me rétractant, je le ferois de tout mon cœur ; mais la honte de me prendre ainsi moi-même en faute me retient encore ; et je me repens très sin-cèrement de ma faute, sans néanmoins l'oser réparer. Un exemple expliquera mieux ce que je veux dire, et montrera que je ne mens ni par intérêt ni par amour-propre, encore moins par envie ou par malignité, mais uniquement par embarras et mauvaise honte, sachant même très bien quelquefois que ce mensonge est connu pour tel, et ne peut me servir du tout à rien.

Il y a quelque temps que M. F*** m'engagea, contre mon usage, à aller, avec ma femme, dîner, en manière de pique-nique, avec lui et M. B***, chez la Dame ***, restauratrice, laquelle et ses deux filles dînèrent aussi avec nous. Au milieu du dîné, l'aînée, qui est mariée depuis peu, et qui étoit grosse, s'avisa de me demander brusquement, et en me fixant, si j'avois eu des enfans. Je répondis, en rougissant jusqu'aux yeux, que je n'avois pas eu ce bonheur. Elle sourit maligne-ment en regardant la compagnie ; tout cela n'étoit pas bien obscur, même pour moi.

Il est clair d'abord que cette réponse n'est point celle que j'aurois voulu faire, quand même j'aurois eu l'intention d'en imposer ; car dans la disposition où je voyois les convives, j'étois bien sûr que ma réponse ne changeoit rien à leur opinion sur ce point. On s'attendoit à cette négative ; on la provoquoit même pour jouir du plaisir de m'avoir fait mentir. Je n'étois pas assez bouché pour ne pas sentir cela. Deux minutes après, la réponse que j'aurois dû faire me vint d'elle-même. « Voilà une question peu discrète, de la part d'une jeune femme, à un homme qui a vieilli garçon. » En parlant ainsi, sans mentir, sans avoir à rougir d'aucun aveu, je mettois les rieurs de mon côté, et je lui faisois une petite leçon qui, naturellement, devoit la rendre un peu moins impertinente à me questionner. Je ne fis rien de tout cela, je ne dis point ce qu'il falloit dire, je dis ce qu'il ne falloit pas et qui ne pouvoit me servir de rien. Il est donc certain que ni mon jugement ni ma volonté ne dictèrent ma réponse, et qu'elle fut l'effet machinal de mon embarras. Autrefois je n'avois point cet embarras, et je faisois l'aveu de mes fautes avec plus de franchise que de honte, parce que je ne doutois pas qu'on ne vît ce qui les rachetoit et que je sentois au dedans de moi ; mais l'œil de la malignité me navre et me déconcerte : en devenant plus malheureux, je suis devenu plus timide ; et jamais je n'ai menti que par timidité.

Je n'ai jamais mieux senti mon aversion naturelle pour le mensonge qu'en écrivant mes *Confessions* ; car c'est là que les tentations auroient été fréquentes et fortes, pour peu que mon penchant m'eût porté de ce côté. Mais loin d'avoir rien tu, rien dissimulé qui fût à ma charge, par un tour d'esprit que j'ai peine à m'expliquer, et qui vient peut-être d'éloignement pour toute imitation, je me sentois plutôt porté à mentir dans le sens contraire en m'accusant avec trop de sévérité, qu'en m'excusant avec trop d'indulgence, et ma conscience m'assure qu'un jour je serai jugé moins sévèrement que je ne me suis jugé moi-même. Oui, je le dis et le sens avec une fière élévation d'âme, j'ai porté dans cet écrit la bonne foi, la véracité, la franchise, aussi loin, plus loin même, au moins je le crois, que ne fit jamais aucun autre homme ; sentant que le bien surpassoit le mal, j'avois mon intérêt à tout dire, et j'ai tout dit.

Je n'ai jamais dit moins ; j'ai dit plus quelquefois, non dans les faits, mais dans les circonstances ; et cette espèce de mensonge fut plutôt l'effet du délire de l'imagination qu'un acte de volonté. J'ai tort même de l'appeler mensonge, car aucune de ces additions n'en fut un. J'écrivois mes *Confessions* déjà vieux et dégoûté des vains plaisirs de la vie que j'avois tous effleurés, et dont mon cœur avoit bien senti le vide. Je les écrivois de mémoire ; cette mémoire me manquoit souvent ou ne me fournissoit que des souvenirs imparfaits, et j'en remplissois les lacunes par des détails que j'imaginois en supplément de ces souvenirs, mais qui ne leur étoient jamais contraires. J'aimois à m'étendre sur les momens heureux de ma vie, et je les embellissois quelquefois des ornemens que de tendres regrets venoient me fournir.

Je disois les choses que j'avois oubliées comme il me sembloit qu'elles avoient dû être, comme elles avoient été peut-être en effet, jamais au contraire de ce que je me rappelois qu'elles avoient été. Je prêtois quelquefois à la vérité des charmes étrangers ; mais jamais je n'ai mis le mensonge à la place pour pallier mes vices ou pour m'arroger des vertus.

Que si quelquefois, sans y songer, par un mouvement involontaire, j'ai caché le côté difforme, en me peignant de profil, ces réticences ont bien été compensées par d'autres réticences plus bizarres, qui m'ont souvent fait taire le bien plus soigneusement que le mal. Ceci est une singularité de mon naturel qu'il est fort pardonnable aux hommes de ne pas croire, mais qui, tout incroyable qu'elle est, n'en est pas moins réelle : j'ai souvent dit le mal dans toute sa turpitude, j'ai rarement dit le bien dans tout ce qu'il eut d'aimable, et souvent je l'ai tu tout à fait, parce qu'il m'honoroit trop, et que, faisant mes *Confessions*, j'aurois l'air d'avoir fait mon éloge. J'ai décrit mes jeunes ans sans me vanter des heureuses qualités dont mon cœur étoit doué, et même en supprimant les faits qui les mettoient trop en évidence. Je m'en rappelle ici deux de ma première enfance, qui tous deux sont bien venus à mon souvenir en écrivant, mais que j'ai rejetés l'un et l'autre par l'unique raison dont je viens de parler.

J'allois presque tous les dimanches passer la journée aux Pâquis, chez M. Fazy, qui avoit épousé une de mes tantes et qui avoit là une fabrique d'indiennes. Un jour, j'étois à l'étendage, dans la chambre de la calandre, et j'en regardois les rouleaux de fonte ; leur luisant flattoit ma vue ; je fus tenté d'y poser mes doigts, et je les promenois avec plaisir sur le lissé du cylindre, quand le jeune Fazy s'étant mis dans la roue lui donna un demi-quart de tour si adroitement qu'il n'y prit que le bout de mes deux plus longs doigts ; mais c'en fut assez pour qu'ils y fussent écrasés par le bout, et que les deux ongles y restassent. Je fis un cri perçant ; Fazy détourne à l'instant la roue, mais les ongles ne restèrent pas moins au cylindre, et le sang ruisseloit de mes doigts. Fazy, consterné, s'écrie, sort de la roue, m'embrasse, et me conjure

d'apaiser mes cris, ajoutant qu'il étoit perdu. Au fort de
ma douleur là sienne me toucha ; je me tus ; nous fûmes
à la carpière, où il m'aida à laver mes doigts et à étancher
mon sang avec de la mousse. Il me supplia avec larmes de
ne point l'accuser ; je le lui promis, et le tins si bien, que
plus de vingt ans après personne ne savoit par quelle aventure
j'avois deux de mes doigts cicatrisés ; car ils le sont demeurés
toujours. Je fus détenu dans mon lit plus de trois semaines,
et plus de deux mois hors d'état de me servir de ma main,
disant toujours qu'une grosse pierre, en tombant, m'avoit
écrasé mes doigts.

> Magnanima menzogna ! or quando è il vero
> Si bello, che si possa a te preporre ?

Cet accident me fut pourtant bien sensible par la circonstance, car c'étoit le tems des exercices où l'on faisoit
manœuvrer la bourgeoisie, et nous avions fait un rang de
trois autres enfans de mon âge, avec lesquels je devois, en
uniforme, faire l'exercice avec la compagnie de mon quartier.
J'eus la douleur d'entendre le tambour de la compagnie
passant sous ma fenêtre avec mes trois camarades, tandis
que j'étois dans mon lit.

Mon autre histoire est toute semblable, mais d'un âge
plus avancé.

Je jouois au mail, à Plain-Palais, avec un de mes camarades
appelé Plince. Nous prîmes querelle au jeu ; nous nous
battîmes, et, durant le combat, il me donna, sur la tête nue,
un coup de mail si bien appliqué, que d'une main plus forte
il m'eût fait sauter la cervelle. Je tombe à l'instant. Je ne
vis de ma vie une agitation pareille à celle de ce pauvre
garçon, voyant mon sang ruisseler dans mes cheveux. Il
crut m'avoir tué. Il se précipite sur moi, m'embrasse, me
serre étroitement en fondant en larmes, et poussant des cris
perçans. Je l'embrassois aussi de toute ma force, en pleurant
comme lui, dans une émotion confuse, qui n'étoit pas sans
quelque douceur. Enfin il se mit en devoir d'étancher mon
sang qui continuoit de couler ; et voyant que nos deux
mouchoirs n'y pouvoient suffire, il m'entraîna chez sa mère,
qui avoit un petit jardin près de là. Cette bonne Dame

F

faillit à se trouver mal en me voyant dans cet état ; mais elle
sut conserver ses forces pour me panser ; et, après avoir bien
bassiné ma plaie, elle y appliqua des fleurs de lys macérées
dans l'eau-de-vie, vulnéraire excellent et très usité dans notre
pays.   Ses larmes et celles de son fils pénétrèrent mon cœur
au point que longtems je la regardois comme ma mère, et
son fils comme mon frère, jusqu'à ce qu'ayant perdu l'un
et l'autre de vue, je les oubliai peu à peu.

Je gardai le même secret sur cet accident que sur l'autre,
et il m'en est arrivé cent autres de pareille nature en ma vie,
dont je n'ai pas même été tenté de parler dans mes *Confessions*, tant j'y cherchois peu l'art de faire valoir le bien
que je sentois dans mon caractère.   Non, quand j'ai parlé
contre la vérité qui m'étoit connue, ce n'a jamais été qu'en
choses indifférentes, et plus ou par l'embarras de parler, ou
pour le plaisir d'écrire, que par aucun motif d'intérêt pour
moi, ni d'avantage ou de préjudice d'autrui.   Et quiconque
lira mes *Confessions* impartialement, si jamais cela arrive,
sentira que les aveux que j'y fais sont plus humilians, plus
pénibles à faire, que ceux d'un mal plus grand, mais moins
honteux à dire, et que je n'ai pas dit parce que je ne l'ai pas
fait.

Il suit de toutes ces réflexions que la profession de véracité
que je me suis faite a plus son fondement sur des sentimens
de droiture et d'équité que sur la réalité des choses, et que
j'ai plus suivi, dans la pratique, les directions morales de ma
conscience que les notions abstraites du vrai et du faux.
J'ai souvent débité bien des fables, mais j'ai très rarement
menti.   En suivant ces principes, j'ai donné sur moi beaucoup de prise aux autres, mais je n'ai fait tort à qui que ce
fût, et je ne me suis point attribué à moi-même plus d'avantage qu'il ne m'en étoit dû.   C'est uniquement par là, ce me
semble, que la vérité est une vertu.   A tout autre égard elle
n'est pour nous qu'un être métaphysique dont il ne résulte
ni bien ni mal.

Je ne sens pourtant pas mon cœur assez content de ces
distinctions pour me croire tout à fait irrépréhensible.   En
pesant avec tant de soin ce que je devois aux autres, ai-je

assez examiné ce que je me devois à moi-même ? S'il faut
être juste pour autrui, il faut être vrai pour soi ; c'est un
hommage que l'honnête homme doit rendre à sa propre
dignité. Quand la stérilité de ma conversation me forçoit
d'y suppléer par d'innocentes fictions, j'avois tort, parce
qu'il ne faut point, pour amuser autrui, s'avilir soi-même ;
et quand, entraîné par le plaisir, j'ajoutois à des choses réelles
des ornemens inventés, j'avois plus de tort encore, parce
que orner la vérité par des fables, c'est en effet la défigurer.

Mais ce qui me rend plus inexcusable est la devise que
j'avois choisie. Cette devise m'obligeoit plus que tout autre
homme à une profession plus étroite de la vérité, et il ne
suffisoit pas que je lui sacrifiasse partout mon intérêt et mes
penchans, il falloit lui sacrifier aussi ma foiblesse et mon
naturel timide. Il falloit avoir le courage et la force d'être
vrai toujours, en toute occasion, et qu'il ne sortit jamais ni
fictions ni fables d'une bouche et d'une plume qui s'étoient
particulièrement consacrées à la vérité. Voilà ce que j'aurois
dû me dire en prenant cette fière devise, et me répéter sans
cesse tant que j'osai la porter. Jamais la fausseté ne dicta
mes mensonges ; ils sont tous venus de foiblesse, mais cela
m'excuse très mal. Avec une âme foible on peut tout au
plus se garantir du vice ; mais c'est être arrogant et téméraire
d'oser professer de grandes vertus.

Voilà des réflexions qui probablement ne me seroient
jamais venues dans l'esprit si l'abbé R*** ne me les eût
suggérées. Il est bien tard, sans doute, pour en faire usage ;
mais il n'est pas trop tard au moins pour redresser mon
erreur, et remettre ma volonté dans la règle ; car c'est
désormais tout ce qui dépend de moi. En ceci donc, et en
toutes choses semblables, la maxime de Solon est applicable
à tous les âges, et il n'est jamais trop tard pour apprendre,
même de ses ennemis, à être sage, vrai, modeste, et à moins
présumer de soi.

CINQUIÈME PROMENADE

DE toutes les habitations où j'ai demeuré (et j'en ai eu de charmantes), aucune ne m'a rendu si véritablement heureux et ne m'a laissé de si tendres regrets que l'île de Saint-Pierre au milieu du lac de Bienne.[1] Cette petite île, qu'on appelle à Neuchâtel l'île de La Motte, est bien peu connue, même en Suisse. Aucun voyageur, que je sache, n'en fait mention. Cependant elle est très agréable, et singulièrement située pour le bonheur d'un homme qui aime à se circonscrire ; car, quoique je sois peut-être le seul au monde à qui sa destinée en ait fait une loi, je ne puis croire être le seul qui ait un goût si naturel, quoique je ne l'aie trouvé jusqu'ici chez nul autre.

Les rives du lac de Bienne sont plus sauvages et romantiques [2] que celles du lac de Genève, parce que les rochers et les bois y bordent l'eau de plus près ; mais elles ne sont pas moins riantes. S'il y a moins de culture de champs et de vignes, moins de villes et de maisons, il y a aussi plus de verdure naturelle, plus de prairies, d'asiles ombragés de bocages, des contrastes plus fréquens et des accidens plus rapprochés. Comme il n'y a pas sur ces heureux bords de grandes routes commodes pour les voitures, le pays est peu fréquenté par les voyageurs, mais il est intéressant pour des contemplatifs solitaires qui aiment à s'enivrer à loisir des charmes de la nature, et à se recueillir dans un silence que ne trouble aucun autre bruit que le cri des aigles, le ramage entrecoupé de quelques oiseaux, et le roulement des torrens qui tombent de la montagne. Ce beau bassin, d'une forme presque ronde, enferme dans son milieu deux petites îles, l'une habitée et cultivée, d'environ demi-lieue de tour ; l'autre plus petite, déserte et en friche, et qui sera détruite à la fin par les transports de terre qu'on en ôte sans cesse pour réparer les dégâts que les vagues et les orages font à la grande. C'est ainsi que la substance du foible est toujours employée au profit du puissant.

Il n'y a dans l'île qu'une seule maison, mais grande,

agréable et commode, qui appartient à l'hôpital de Berne, ainsi que l'île, et où loge un Receveur avec sa famille et ses domestiques. Il y entretient une nombreuse basse-cour, une volière, et des réservoirs pour le poisson. L'île, dans sa petitesse, est tellement variée dans ses terrains et ses aspects, qu'elle offre toutes sortes de sites, et souffre toutes sortes de cultures. On y trouve des champs, des vignes, des bois, des vergers, de gras pâturages ombragés de bosquets, et bordés d'arbrisseaux de toute espèce, dont le bord des eaux entretient la fraîcheur ; une haute terrasse plantée de deux rangs d'arbres borde l'île dans sa longueur, et dans le milieu de cette terrasse on a bâti un joli salon où les habitans des rives voisines se rassemblent et viennent danser les dimanches durant les vendanges.

C'est dans cette île que je me réfugiai après la lapidation de Motiers. J'en trouvai le séjour si charmant, j'y menois une vie si convenable à mon humeur, que, résolu d'y finir mes jours, je n'avois d'autre inquiétude sinon qu'on ne me laissât pas exécuter ce projet qui ne s'accordoit pas avec celui de m'entraîner en Angleterre, dont je sentois déjà les premier effets. Dans les pressentimens qui m'inquiétoient, j'aurois voulu qu'on m'eût fait de cet asile une prison perpétuelle, qu'on m'y eût confiné pour toute ma vie, et qu'en m'ôtant toute puissance et tout espoir d'en sortir on m'eût interdit toute communication avec la terre ferme, de sorte qu'ignorant tout ce qui se faisoit dans le monde, j'en eusse oublié l'existence, et qu'on y eût oublié la mienne aussi.

On ne m'a laissé passer guères que deux mois dans cette île, mais j'y aurois passé deux ans, deux siècles, et toute l'éternité, sans m'y ennuyer un moment, quoique je n'y eusse, avec ma compagne, d'autre société que celle du Receveur, de sa femme et de ses domestiques, qui tous étoient à la vérité de très bonnes gens, et rien de plus ; mais c'étoit précisément ce qu'il me falloit. Je compte ces deux mois pour le tems le plus heureux de ma vie, et tellement heureux, qu'il m'eût suffi durant toute mon existence, sans laisser naître un seul instant dans mon âme le désir d'un autre état.

Quel étoit donc ce bonheur, et en quoi consistoit sa

jouissance ?   Je le donnerois à deviner à tous [les] hommes
de ce siècle sur la description de la vie que j'y menois.   Le
précieux *far niente* fut la première et la principale de ces
jouissances que je voulus savourer dans toute sa douceur,
et tout ce que je fis durant mon séjour ne fut en effet que
l'occupation délicieuse et nécessaire d'un homme qui s'est
dévoué à l'oisiveté.

L'espoir qu'on ne demanderoit pas mieux que de me
laisser dans ce séjour isolé où je m'étois enlacé de moi-même,
dont il m'étoit impossible de sortir sans assistance et sans
être bien aperçu, et où je ne pouvois avoir ni communication
ni correspondance que par le concours des gens qui m'en-
touroient ; cet espoir, dis-je, me donnoit celui d'y finir mes
jours plus tranquillement que je ne les avois passés ; et
l'idée que j'avois le tems de m'y arranger tout à loisir fit que
je commençai par n'y faire aucun arrangement.   Transporté
là brusquement, seul et nu, j'y fis venir successivement ma
gouvernante, mes livres et mon petit équipage, dont j'eus
le plaisir de ne rien déballer, laissant mes caisses et mes malles
comme elles étoient arrivées et vivant dans l'habitation où
je comptois achever mes jours, comme dans une auberge
dont j'aurois dû partir le lendemain.   Toutes choses, telles
qu'elles étoient, alloient si bien, que vouloir les mieux ranger
étoit y gâter quelque chose.   Un de mes plus grands délices
étoit surtout de laisser toujours mes livres bien encaissés, et
de n'avoir point d'écritoire.   Quand de malheureuses lettres
me forçoient de prendre la plume pour y répondre, j'em-
pruntois en murmurant l'écritoire du Receveur, et je me
hâtois de la rendre, dans la vaine espérance de n'avoir plus
besoin de la remprunter.   Au lieu de ces tristes paperasses
et de toute cette bouquinerie, j'emplissois ma chambre de
fleurs et de foin ;   car j'étois alors dans ma première ferveur
de botanique, pour laquelle le docteur d'Ivernois m'avoit
inspiré un goût qui bientôt devint passion.   Ne voulant plus
d'œuvre de travail, il m'en falloit une d'amusement qui me
plût, et qui ne me donnât de peine que celle qu'aime à
prendre un paresseux.   J'entrepris de faire la *Flora petrin-
sularis,* et de décrire toutes les plantes de l'île, sans en omettre

une seule, avec un détail suffisant pour m'occuper le reste
de mes jours. On dit qu'un Allemand a fait un livre sur un
zeste de citron ; j'en aurois fait un sur chaque gramen des
prés, sur chaque mousse des bois, sur chaque lichen qui
tapisse les rochers ; enfin je ne voulois pas laisser un poil
d'herbe, pas un atome végétal qui ne fût amplement décrit.
En conséquence de ce beau projet, tous les matins, après le
déjeuné, que nous faisions tous ensemble, j'allois, une loupe
à la main et mon *Systema naturæ* [1] sous le bras, visiter un
canton de l'île, que j'avois pour cet effet divisée en petits
carrés, dans l'intention de les parcourir l'un après l'autre en
chaque saison. Rien n'est plus singulier que les ravissemens,
les extases que j'éprouvois à chaque observation que je
faisois sur la structure et l'organisation végétales, et sur le
jeu des parties sexuelles dans la fructification, dont le système
étoit alors tout à fait nouveau pour moi. La distinction des
caractères génériques, dont je n'avois pas auparavant la
moindre idée, m'enchantoit en les vérifiant sur les espèces
communes, en attendant qu'il s'en offrît à moi de plus rares.
La fourchure des deux longues étamines de la Brunelle, le
ressort de celles de l'Ortie et de la Pariétaire, l'explosion du
fruit de la Balsamine et de la capsule du Buis, mille petits
jeux de la fructification que j'observois pour la première fois
me combloient de joie, et j'allois demandant si l'on avoit vu
les cornes de la Brunelle, comme La Fontaine demandoit si
l'on avoit lu Habacuc. Au bout de deux ou trois heures, je
m'en revenois chargé d'une ample moisson, provision
d'amusement pour l'après-dînée au logis, en cas de pluie.
J'employois le reste de la matinée à aller avec le Receveur,
sa femme, et Thérèse, visiter leurs ouvriers et leur récolte,
mettant le plus souvent la main à l'œuvre avec eux ; et
souvent des Bernois qui me venoient voir m'ont trouvé
juché sur de grands arbres, ceint d'un sac que je remplissois
de fruits, et que je dévalois ensuite à terre avec une corde.
L'exercice que j'avois fait dans la matinée, et la bonne
humeur qui en est inséparable, me rendoient le repos du dîné
très agréable ; mais quand il se prolongeoit trop, et que le
beau tems m'invitoit, je ne pouvois si longtems attendre, et,

pendant qu'on étoit encore à table, je m'esquivois et j'allois
me jeter seul dans un bateau que je conduisois au milieu du
lac quand l'eau étoit calme ; et là, m'étendant tout de mon
long dans le bateau, les yeux tournés vers le Ciel, je me
laissois aller et dériver lentement au gré de l'eau, quelquefois
pendant plusieurs heures, plongé dans mille rêveries confuses,
mais délicieuses, et qui, sans avoir aucun objet bien déterminé ni constant, ne laissoient pas d'être à mon gré cent fois
préférables à tout ce que j'avois trouvé de plus doux dans
ce qu'on appelle les plaisirs de la vie.   Souvent averti par
le baisser du soleil de l'heure de la retraite, je me trouvois si
loin de l'île, que j'étois forcé de travailler de toute ma force
pour arriver avant la nuit close.   D'autres fois, au lieu de
m'écarter en pleine eau, je me plaisois à côtoyer les ver-
doyantes rives de l'île, dont les limpides eaux et les ombrages
frais m'ont souvent engagé à m'y baigner.   Mais une de mes
navigations les plus fréquentes étoit d'aller de la grande à
le petite île, d'y débarquer et d'y passer l'après-dînée, tantôt
à des promenades très circonscrites au milieu des Marceaux,
des Bourdaines, des Persicaires, des arbrisseaux de toute
espèce, et tantôt m'établissant au sommet d'un tertre sablon-
neux, couvert de gazon, de Serpolet, de fleurs, même d'Es-
parcette et de Trèfles qu'on y avoit vraisemblablement semés
autrefois, et très propre à loger des lapins qui pouvoient là
multiplier en paix sans rien craindre, et sans nuire à rien.
Je donnai cette idée au Receveur, qui fit venir de Neuchâtel
des lapins mâles et femelles, et nous allâmes en grande
pompe, sa femme, une de ses sœurs, Thérèse et moi, les
établir dans la petite île, où ils commençoient à peupler avant
mon départ, et où ils auront prospéré sans doute, s'ils ont
pu soutenir la rigueur des hivers.   La fondation de cette
petite colonie fut une fête.   Le Pilote des Argonautes n'étoit
pas plus fier que moi menant en triomphe la compagnie et
les lapins de la grande île à la petite, et je notois avec orgueil
que la Receveuse, qui redoutoit l'eau à l'excès, et s'y trou-
voit toujours mal, s'embarqua sous ma conduite avec
confiance, et ne montra nulle peur durant la traversée.

Quand le lac agité ne me permettoit pas la navigation, je

passois mon après-midi à parcourir l'île, en herborisant à droite et à gauche, m'asseyant tantôt dans les réduits les plus rians et les plus solitaires pour y rêver à mon aise, tantôt sur les terrasses et les tertres, pour parcourir des yeux le superbe et ravissant coup d'œil du lac et [1] de ses rivages, couronnés d'un côté par des montagnes prochaines, et de l'autre élargis en riches et fertiles plaines, dans lesquelles la vue s'étendoit jusqu'aux montagnes bleuâtres plus éloignées qui la bornoient.

Quand le soir approchoit, je descendois des cimes de l'île, et j'allois volontiers m'asseoir au bord du lac, sur la grève, dans quelque asile caché ; là, le bruit des vagues et l'agitation de l'eau fixant mes sens et chassant de mon âme toute autre agitation, la plongeoient dans une rêverie délicieuse, où la nuit me surprenoit souvent sans que je m'en fusse aperçu. Le flux et le reflux de cette eau, son bruit continu, mais renflé par intervalles, frappant sans relâche mon oreille et mes yeux, suppléoient aux mouvemens internes que la rêverie éteignoit en moi, et suffisoient pour me faire sentir avec plaisir mon existence, sans prendre la peine de penser.[2] De tems à autre naissoit quelque foible et courte réflexion sur l'instabilité des choses de ce monde, dont la surface des eaux m'offroit l'image ; mais bientôt ces impressions légères s'effaçoient dans l'uniformité du mouvement continu qui me berçoit, et qui, sans aucun concours actif de mon âme, ne laissoit pas de m'attacher au point qu'appelé par l'heure et par le signal convenu je ne pouvois m'arracher de là sans efforts.

Après le soupé, quand la soirée étoit belle, nous allions encore tous ensemble faire quelque tour de promenade sur la terrasse, pour y respirer l'air du lac et la fraîcheur. On se reposoit dans le pavillon, on rioit, on causoit, on chantoit quelque vieille chanson qui valoit bien le tortillage moderne,[3] et enfin l'on s'alloit coucher content de sa journée, et n'en désirant qu'une semblable pour le lendemain.

Telle est, laissant à part les visites imprévues et importunes, la manière dont j'ai passé mon tems dans cette île, durant le séjour que j'y ai fait. Qu'on me dise à présent ce qu'il y a là d'assez attrayant pour exciter dans mon cœur des regrets si vifs, si tendres et si durables, qu'au bout de quinze ans il m'est impossible de songer à cette habitation chérie sans m'y sentir chaque fois transporter encore par les élans du désir.

J'ai remarqué dans les vicissitudes d'une longue vie que les époques des plus douces jouissances et des plaisirs les plus vifs ne sont pourtant pas celles dont le souvenir m'attire et me touche le plus. [Ces courts momens de délire et de passion, quelque vifs qu'ils puissent être, ne sont cependant, et par leur vivacité même, que des points bien clairsemés dans la ligne de la vie.] Ils sont trop rares et trop rapides pour constituer un état ; et le bonheur que mon cœur regrette n'est point composé d'instans fugitifs, mais un état simple et permanent, qui n'a rien de vif en lui-même, mais dont la durée accroît le charme, au point d'y trouver enfin la suprême félicité.

[Tout est dans un flux continuel sur la terre.] Rien n'y garde une forme constante et arrêtée, et nos affections qui s'attachent aux choses extérieures passent et changent nécessairement comme elles. Toujours en avant ou en arrière de nous, elles rappellent le passé, qui n'est plus, ou préviennent l'avenir, qui souvent ne doit point être : il n'y a rien là de solide à quoi le cœur se puisse attacher. Aussi n'a-t-on guères ici-bas que du plaisir qui passe ; pour le bonheur qui dure, je doute qu'il y soit connu. A peine est-il, dans nos plus vives jouissances, un instant où le cœur puisse véritablement nous dire : *Je voudrois que cet instant durât toujours.* Et comment peut-on appeler bonheur un état fugitif qui nous laisse encore le cœur inquiet et vide, qui nous fait regretter quelque chose avant, ou désirer encore quelque chose après ? [1]

Mais s'il est un état où l'âme trouve une assiette assez solide pour s'y reposer tout entière, et rassembler là tout son être, sans avoir besoin de rappeler le passé, ni d'enjamber sur l'avenir, où le tems ne soit rien pour elle, où le présent dure toujours, sans néanmoins marquer sa durée et sans aucune trace de succession, sans aucun autre sentiment de privation ni de jouissance, de plaisir ni de peine, de désir ni de crainte, que celui seul de notre existence, et que ce sentiment seul puisse la remplir tout entière ; tant que cet état dure, celui qui s'y trouve peut s'appeler heureux, non d'un bonheur imparfait, pauvre et relatif, tel que celui qu'on trouve dans les plaisirs de la vie, mais d'un bonheur suffisant, parfait et plein, qui ne laisse dans l'âme aucun vide qu'elle sente le besoin de remplir. Tel est l'état où je me suis trouvé souvent à l'île de Saint-Pierre, dans mes rêveries solitaires, soit couché dans mon bateau que je laissois dériver au gré de l'eau, soit assis sur les rives du lac agité, soit ailleurs, au bord d'une belle rivière ou d'un ruisseau murmurant sur le gravier.

De quoi jouit-on dans une pareille situation ? De rien d'extérieur à soi, de rien sinon de soi-même et de sa propre existence ; tant que cet état dure, on se suffit à soi-même, comme Dieu. Le sentiment de l'existence dépouillé de toute autre affection est par lui-même un sentiment précieux de contentement et de paix, qui suffiroit seul pour rendre cette existence chère et douce à qui sauroit écarter de soi toutes les impressions sensuelles et terrestres qui viennent sans cesse nous en distraire, et en troubler ici-bas la douceur. Mais la plupart des hommes agités de passions continuelles con-noissent peu cet état, et, ne l'ayant goûté qu'imparfaitement durant peu d'instans, n'en conservent qu'une idée obscure et confuse, qui ne leur en fait pas sentir le charme. Il ne seroit pas même bon, dans la présente constitution des choses, qu'avides de ces douces extases ils s'y dégoûtâssent de la vie active dont leurs besoins toujours renaissans leur prescrivent le devoir. Mais un infortuné qu'on a retranché de la société humaine, et qui ne peut plus rien faire ici-bas d'utile et de bon pour autrui ni pour soi, peut trouver, dans cet état, à toutes les félicités humaines des dédommagemens que la fortune et les hommes ne lui sauroient ôter.

Il est vrai que ces dédommagemens ne peuvent être sentis par toutes les âmes, ni dans toutes les situations. Il faut que le cœur soit en paix, et qu'aucune passion n'en vienne troubler le calme. Il y faut des dispositions de la part de celui qui les éprouve ; il en faut dans le concours des objets

environnans. Il n'y faut ni un repos absolu, ni trop d'agitation, mais un mouvement uniforme et modéré, qui n'ait ni
secousses ni intervalles. Sans mouvement, la vie n'est
qu'une léthargie. Si le mouvement est inégal ou trop fort,
il réveille ; en nous rappelant aux objets environnans, il
détruit le charme de la rêverie, et nous arrache d'au-dedans
de nous, pour nous remettre à l'instant sous le joug de la
fortune et des hommes, et nous rendre au sentiment de nos
malheurs. Un silence absolu porte à la tristesse. Il offre
une image de la mort. Alors le secours d'une imagination
riante est nécessaire, et se présente assez naturellement à
ceux que le Ciel en a gratifiés. Le mouvement qui ne vient
pas du dehors se fait alors au-dedans de nous. Le repos est
moindre, il est vrai, mais il est aussi plus agréable quand de
légères et douces idées, sans agiter le fond de l'âme, ne font
pour ainsi dire qu'en effleurer la surface. Il n'en faut
qu'assez pour se souvenir de soi-même en oubliant tous ses
maux. Cette espèce de rêverie peut se goûter partout où
l'on peut être tranquille ; et j'ai souvent pensé qu'à la
Bastille, et même dans un cachot où nul objet n'eût frappé
ma vue, j'aurois encore pu rêver agréablement.[1]

Mais il faut avouer que cela se faisoit bien mieux et plus
agréablement dans une île fertile et solitaire, naturellement
circonscrite et séparée du reste du monde, où rien ne m'offroit
que des images riantes ; où rien ne me rappeloit des souvenirs
attristans ; où la société du petit nombre d'habitans étoit
liante et douce, sans être intéressante au point de m'occuper
incessamment ; où je pouvois enfin me livrer tout le jour,
sans obstacle et sans soins, aux occupations de mon goût
ou à la plus molle oisiveté. L'occasion sans doute étoit belle
pour un rêveur, qui, sachant se nourrir d'agréables chimères
au milieu des objets les plus déplaisans, pouvoit s'en ras-
sasier à son aise en y faisant concourir tout ce qui frappoit
réellement ses sens. En sortant d'une longue et douce
rêverie, me voyant entouré de verdure, de fleurs, d'oiseaux,
et laissant errer mes yeux au loin sur les romanesques [2] rivages
qui bordoient une vaste étendue d'eau claire et cristalline,
j'assimilois à mes fictions tous ces aimables objets ; et, me

trouvant enfin ramené par degrés à moi-même et à ce qui m'entouroit, je ne pouvois marquer le point de séparation des fictions aux réalités ; tant tout concouroit également à me rendre chère la vie recueillie et solitaire que je menois dans ce beau séjour. Que ne peut-elle renaître encore ! Que ne puis-je aller finir mes jours dans cette île chérie, sans en ressortir jamais, ni jamais y revoir aucun habitant du continent qui me rappelât le souvenir des calamités de toute espèce qu'ils se plaisent à rassembler sur moi depuis tant d'années ! Ils seroient bientôt oubliés pour jamais : sans doute ils ne m'oublieroient pas de même ; mais que m'importeroit, pourvu qu'ils n'eussent aucun accès pour y venir troubler mon repos ? Délivré de toutes les passions terrestres qu'engendre le tumulte de la vie sociale, mon âme s'élanccroit fréquemment au-dessus de cette atmosphère, et commerceroit [1] d'avance avec les Intelligences célestes, dont elle espère aller augmenter le nombre dans peu de tems. Les hommes se garderont, je le sais, de me rendre un si doux asile, où ils n'ont pas voulu me laisser. Mais ils ne m'empêcheront pas du moins de m'y transporter chaque jour sur les ailes de l'imagination, et d'y goûter durant quelques heures le même plaisir que si je l'habitois encore. Ce que j'y ferois de plus doux seroit d'y rêver à mon aise. En rêvant que j'y suis ne fais-je pas la même chose ? Je fais même plus ; à l'attrait d'une rêverie abstraite et monotone je joins des images charmantes qui la vivifient. Leurs objets échappoient souvent à mes sens dans mes extases ; et maintenant, plus ma rêverie est profonde, plus elle me les peint vivement. Je suis souvent plus au milieu d'eux, et plus agréablement encore, que quand j'y étois réellement. Le malheur est qu'à mesure que l'imagination s'attiédit, cela vient avec plus de peine, et ne dure pas si longtems. Hélas ! c'est quand on commence à quitter sa dépouille qu'on en est le plus offusqué !

SIXIÈME PROMENADE

Nous n'avons guères de mouvement machinal dont nous ne puissions trouver la cause dans notre cœur, si nous savions bien l'y chercher.

Hier, en passant sur le nouveau boulevard pour aller herboriser le long de la Bièvre, du côté de Gentilly, je fis le crochet à droite en approchant de la barrière d'Enfer ; et m'écartant dans la campagne, j'allai, par la route de Fontainebleau, gagner les hauteurs qui bordent cette petite rivière. Cette marche étoit fort indifférente en elle-même ; mais en me rappelant que j'avois fait plusieurs fois machinalement le même détour, j'en recherchai la cause en moi-même, et je ne pus m'empêcher de rire quand je vins à la démêler.

Dans un coin du boulevard, à la sortie de la barrière d'Enfer, s'établit journellement en été une femme qui vend du fruit, de la tisane et des petits pains. Cette femme a un petit garçon fort gentil, mais boiteux, qui, clopinant avec ses béquilles, s'en va d'assez bonne grâce demandant l'aumône aux passans. J'avois fait une espèce de connoissance avec ce petit bonhomme ; il ne manquoit pas, chaque fois que je passois, de venir me faire son petit compliment, toujours suivi de ma petite offrande. Les premières fois je fus charmé de le voir, je lui donnois de très bon cœur, et je continuai quelque tems de le faire avec le même plaisir, y joignant même le plus souvent celui d'exciter et d'écouter son petit babil, que je trouvois agréable. Ce plaisir, devenu par degrés habitude, se trouva, je ne sais comment, transformé dans une espèce de devoir dont je sentis bientôt la gêne, surtout à cause de la harangue préliminaire qu'il falloit écouter, et dans laquelle il ne manquoit jamais de m'appeler souvent M. Rousseau, pour montrer qu'il me connoissoit bien ; ce qui m'apprenoit assez, au contraire, qu'il ne me connoissoit pas plus que ceux qui l'avoient instruit. Dès lors je passois par là moins volontiers, et enfin je pris machinalement l'habitude de faire le plus souvent un détour quand j'approchois de cette traverse.

Voilà ce que je découvris en y réfléchissant, car rien de tout cela ne s'étoit offert jusqu'alors distinctement à ma pensée. Cette observation m'en a rappelé successivement des multitudes d'autres, qui m'ont bien confirmé que les vrais et premiers motifs de la plupart de mes actions ne me sont pas aussi clairs à moi-même que je me l'étois longtems figuré. Je sais et je sens que faire du bien est le plus vrai bonheur que le cœur humain puisse goûter ; mais il y a longtems que ce bonheur a été mis hors de ma portée, et ce n'est pas dans un aussi misérable sort que le mien qu'on peut espérer de placer avec choix et avec fruit une seule action réellement bonne. Le plus grand soin de ceux qui règlent ma destinée ayant été que tout ne fût pour moi que fausse et trompeuse apparence, un motif de vertu n'est jamais qu'un leurre qu'on me présente pour m'attirer dans le piège où l'on veut m'enlacer. Je sais cela ; je sais que le seul bien qui soit désormais en ma puissance est de m'abstenir d'agir, de peur de mal faire sans le vouloir et sans le savoir.

Mais il fut des tems plus heureux où, suivant les mouvemens de mon cœur, je pouvois quelquefois rendre un autre cœur content, et je me dois l'honorable témoignage que, chaque fois que j'ai pu goûter ce plaisir, je l'ai trouvé plus doux qu'aucun autre. Ce penchant fut vif, vrai, pur ; et rien, dans mon plus secret intérieur, ne l'a jamais démenti. Cependant j'ai senti souvent le poids de mes propres bienfaits par la chaîne des devoirs qu'ils entraînoient à leur suite : alors le plaisir a disparu, et je n'ai plus trouvé dans la continuation des mêmes soins qui m'avoient d'abord charmé qu'une gêne presque insupportable. Durant mes courtes prospérités, beaucoup de gens recouroient à moi, et jamais, dans tous les services que je pus leur rendre, aucun d'eux ne fut éconduit. Mais de ces premiers bienfaits, versés avec effusion de cœur, naissoient des chaînes d'engagemens successifs que je n'avois pas prévus et dont je ne pouvois plus secouer le joug. Mes premiers services n'étoient, aux yeux de ceux qui les recevoient, que les arrhes de ceux qui les devoient suivre ; et, dès que quelque infortuné avoit jeté sur moi le grappin d'un bienfait reçu, c'en étoit fait désormais, et

ce premier bienfait, libre et volontaire, devenoit un droit indé-
fini à tous ceux dont il pouvoit avoir besoin dans la suite,
sans que l'impuissance même suffît pour m'en affranchir.
Voilà comment des jouissances très douces se transformoient
pour moi dans la suite en d'onéreux assujettissemens.

Ces chaînes cependant ne me parurent pas très pesantes,
tant qu'ignoré du public je vécus dans l'obscurité. Mais
quand une fois ma personne fut affichée par mes écrits, faute
grave sans doute, mais plus qu'expiée par mes malheurs, dès
lors je devins le bureau général d'adresse de tous les souffre-
teux ou soi-disant tels, de tous les aventuriers qui cherchoient
des dupes, de tous ceux qui, sous prétexte du grand crédit
qu'ils feignoient de m'attribuer, vouloient s'emparer de moi
de manière ou d'autre. C'est alors que j'eus lieu de connoître
que tous les penchans de la nature, sans en excepter la
bienfaisance elle-même, portés ou suivis dans la société sans
prudence et sans choix, changent de nature, et deviennent
souvent aussi nuisibles qu'ils étoient utiles dans leur première
direction. Tant de cruelles expériences changèrent peu à
peu mes premières dispositions, ou plutôt, les renfermant
enfin dans leurs véritables bornes, elles m'apprirent à suivre
moins aveuglément mon penchant à bien faire, lorsqu'il ne
servoit qu'à favoriser la méchanceté d'autrui.

Mais je n'ai point regret à ces mêmes expériences, puisqu'elles m'ont procuré, par la réflexion, de nouvelles lumières
sur la connoissance de moi-même et sur les vrais motifs de
ma conduite en mille circonstances sur lesquelles je me suis
si souvent fait illusion. J'ai vu que, pour bien faire avec
plaisir, il falloit que j'agisse librement, sans contrainte, et
que, pour m'ôter toute la douceur d'une bonne œuvre, il
suffisoit qu'elle devînt un devoir pour moi. Dès lors le poids
de l'obligation me fait un fardeau des plus douces jouissances :
et, comme je l'ai dit dans l'*Émile*, à ce que je crois, j'eusse
été chez les Turcs un mauvais mari à l'heure où le cri public
les appelle à remplir les devoirs de leur état.

Voilà ce qui modifie beaucoup l'opinion que j'eus longtems
de ma propre vertu, car il n'y en a point à suivre ses penchans,
et à se donner, quand ils nous y portent, le plaisir de bien

faire : mais elle consiste à les vaincre quand le devoir le
commande, pour faire ce qu'il nous prescrit, et voilà ce que
j'ai su moins faire qu'homme du monde. Né sensible et bon,
portant la pitié jusqu'à la foiblesse, et me sentant exalter l'âme
par tout ce qui tient à la générosité, je fus humain, bienfaisant,
secourable, par goût, par passion même, tant qu'on n'intéressa
que mon cœur ; j'eusse été le meilleur et le plus clément des
hommes si j'en avois été le plus puissant ; et, pour éteindre en
moi tout désir de vengeance, il m'eût suffi de pouvoir me venger.
J'aurois même été juste sans peine contre mon propre intérêt ;
mais contre celui des personnes qui m'étoient chères je n'aurois
pu me résoudre à l'être. Dès que mon devoir et mon cœur
étoient en contradiction, le premier eut rarement la victoire,
à moins qu'il ne fallût seulement que m'abstenir : alors
j'étois fort le plus souvent ; mais agir contre mon penchant
me fut toujours impossible. Que ce soient les hommes le
devoir, ou même la nécessité, qui commandent, quand mon
cœur se tait, ma volonté reste sourde, et je ne saurois obéir.
Je vois le mal qui me menace, et je le laisse arriver plutôt
que de m'agiter pour le prévenir. Je commence quelquefois
avec effort ; mais cet effort me lasse et m'épuise bien vite :
je ne saurois continuer. En toute chose imaginable, ce que
je ne fais pas avec plaisir m'est bientôt impossible à faire.

Il y a plus. La contrainte, d'accord avec mon désir, suffit
pour l'anéantir et le changer en répugnance, en aversion
même, pour peu qu'elle agisse trop fortement ; et voilà ce
qui me rend pénible la bonne œuvre qu'on exige, et que je
faisois de moi-même lorsqu'on ne l'exigeoit pas. Un bienfait
purement gratuit est certainement une œuvre que j'aime à
faire. Mais quand celui qui l'a reçu s'en fait un titre pour
en exiger la continuation sous peine de sa haine, quand il
me fait une loi d'être à jamais son bienfaiteur, pour avoir
d'abord pris plaisir à l'être, dès lors la gêne commence, et le
plaisir s'évanouit. Ce que je fais alors quand je cède est
foiblesse et mauvaise honte : mais la bonne volonté n'y est
plus ; et, loin que je m'en applaudisse en moi-même, je me
reproche en ma conscience de bien faire à contre-cœur.

Je sais qu'il y a une espèce de contrat, et même le plus

saint de tous, entre le bienfaiteur et l'obligé. C'est une sorte de société qu'ils forment l'un avec l'autre, plus étroite que celle qui unit les hommes en général ; et, si l'obligé s'engage tacitement à la reconnoissance, le bienfaiteur s'engage de même à conserver à l'autre, tant qu'il ne s'en rendra pas indigne, la même bonne volonté qu'il vient de lui témoigner, et à lui en renouveler les actes toutes les fois qu'il le pourra et qu'il en sera requis. Ce ne sont pas là des conditions expresses, mais ce sont des effets naturels de la relation qui vient de s'établir entre eux. Celui qui, la première fois, refuse un service gratuit qu'on lui demande, ne donne aucun droit de se plaindre à celui qu'il a refusé ; mais celui qui, dans un cas semblable, refuse au même la même grâce qu'il lui accorda ci-devant, frustre une espérance qu'il l'a autorisé à concevoir ; il trompe et dément une attente qu'il a fait naître. On sent dans ce refus je ne sais quoi d'injuste et de plus dur que dans l'autre ; mais il n'en est pas moins l'effet d'une indépendance que le cœur aime, et à laquelle il ne renonce pas sans effort. Quand je paye une dette, c'est un devoir que je remplis ; quand je fais un don, c'est un plaisir que je me donne. Or le plaisir de remplir ses devoirs est de ceux que la seule habitude de la vertu fait naître : ceux qui nous viennent immédiatement de la nature ne s'élèvent pas si haut que cela.

Après tant de tristes expériences, j'ai appris à prévoir de loin les conséquences de mes premiers mouvemens suivis et je me suis souvent abstenu d'une bonne œuvre que j'avois le désir et le pouvoir de faire, effrayé de l'assujettissement auquel dans la suite je m'allois soumettre, si je m'y livrois inconsidérément. Je n'ai pas toujours senti cette crainte; au contraire, dans ma jeunesse je m'attachois par mes propres bienfaits, et j'ai souvent éprouvé de même que ceux que j'obligeois s'affectionnoient à moi par reconnoissance encore plus que par intérêt. Mais les choses ont bien changé de face à cet égard comme à tout autre, aussitôt que mes malheurs ont commencé. J'ai vécu dès lors dans une génération nouvelle qui ne ressembloit point à la première, et mes propres sentimens pour les autres ont souffert des

changemens que j'ai trouvés dans les leurs. Les mêmes gens
que j'ai vus successivement dans ces deux générations si
différentes, se sont, pour ainsi dire, assimilés successivement
à l'une et à l'autre.[1] De vrais et francs qu'ils étoient d'abord,
devenus ce qu'ils sont, ils ont fait comme tous les autres.
Et par cela seul que les tems sont changés, les hommes ont
changé comme eux. Eh ! comment pourrois-je garder les
mêmes sentimens pour ceux en qui je trouve le contraire de
ce qui les fit naître ! Je ne les hais point, parce que je ne
saurois haïr ; mais je ne puis me défendre du mépris qu'ils
méritent ni m'abstenir de le leur témoigner.

Peut-être, sans m'en apercevoir, ai-je changé moi-même
plus qu'il n'auroit fallu : quel naturel résisteroit sans s'altérer
à une situation pareille à la mienne ? Convaincu par vingt
ans d'expérience que tout ce que la nature a mis d'heureuses
dispositions dans mon cœur est tourné, par ma destinée et
par ceux qui en disposent, au préjudice de moi-même ou
d'autrui, je ne puis plus regarder une bonne œuvre qu'on
me présente à faire que comme un piège qu'on me tend, et
sous lequel est caché quelque mal. Je sais que, quel que
soit l'effet de l'œuvre, je n'en aurai pas moins le mérite de
ma bonne intention. Oui, ce mérite y est toujours, sans
doute ; mais le charme intérieur n'y est plus, et, sitôt que
ce stimulant me manque, je ne sens qu'indifférence et glace
au-dedans de moi, et, sûr qu'au lieu de faire une action
vraiment utile, je ne fais qu'un acte de dupe, l'indignation
de l'amour-propre, jointe au désaveu de la raison, ne m'inspire
que répugnance et résistance où j'eusse été plein d'ardeur et
de zèle dans mon état naturel.

Il est des sortes d'adversités qui élèvent et renforcent
l'âme, mais il en est qui l'abattent et la tuent : telle est celle
dont je suis la proie. Pour peu qu'il y eût eu quelque
mauvais levain dans la mienne, elle l'eût fait fermenter à
l'excès, elle m'eût rendu frénétique ; mais elle ne m'a rendu
que nul. Hors d'état de bien faire et pour moi-même et
pour autrui, je m'abstiens d'agir ; et cet état, qui n'est
innocent que parce qu'il est forcé, me fait trouver une sorte
de douceur à me livrer pleinement sans reproche à mon

penchant naturel. Je vais trop loin sans doute, puisque j'évite les occasions d'agir, même où je ne vois que du bien à faire. Mais, certain qu'on ne me laisse pas voir les choses comme elles sont, je m'abstiens de juger sur les apparences qu'on leur donne ; et, de quelque leurre qu'on couvre les motifs d'agir, il suffit que ces motifs soient laissés à ma portée pour que je sois sûr qu'ils sont trompeurs.

Ma destinée semble avoir tendu, dès mon enfance, le premier piège qui m'a rendu longtems si facile à tomber dans tous les autres. Je suis né le plus confiant des hommes, et, durant quarante ans entiers, jamais cette confiance ne fut trompée une seule fois. Tombé tout d'un coup dans un autre ordre de gens et de choses, j'ai donné dans mille embûches sans jamais en apercevoir aucune ; et vingt ans d'expérience ont à peine suffi pour m'éclairer sur mon sort. Une fois convaincu qu'il n'y a que mensonge et fausseté dans les démonstrations grimacières qu'on me prodigue, j'ai passé rapidement à l'autre extrémité ; car, quand on est une fois sorti de son naturel, il n'y a plus de bornes qui nous retiennent. Dès lors je me suis dégoûté des hommes, et ma volonté, concourant avec la leur à cet égard, me tient encore plus éloigné d'eux que ne font toutes leurs machines.

Ils ont beau faire, cette répugnance ne peut jamais aller jusqu'à l'aversion. En pensant à la dépendance où ils se sont mis de moi pour me tenir dans la leur, ils me font une pitié réelle. Si je ne suis malheureux, ils le sont eux-mêmes, et, chaque fois que je rentre en moi, je les trouve toujours à plaindre. L'orgueil peut-être se mêle encore à ces jugemens ; je me sens trop au-dessus d'eux pour les haïr. Ils peuvent m'intéresser tout au plus jusqu'au mépris, mais jamais jusqu'à la haine ; enfin je m'aime trop moi-même pour pouvoir haïr qui que ce soit. Ce seroit resserrer, comprimer mon existence, et je voudrois plutôt l'étendre sur tout l'univers.

J'aime mieux les fuir que les haïr. Leur aspect frappe mes sens, et par eux mon cœur, d'impressions que mille regards cruels me rendent pénibles ; mais le malaise cesse aussitôt que l'objet qui le cause a disparu. Je m'occupe d'eux, et bien malgré moi, par leur présence, mais jamais par leur souvenir. Quand je ne les vois plus, ils sont pour moi comme s'ils n'existoient point.

Ils ne me sont même indifférens qu'en ce qui se rapporte à moi ; car, dans leurs rapports entre eux, ils peuvent encore m'intéresser et m'émouvoir comme les personnages d'un drame que je verrois représenter. Il faudroit que mon être moral fût anéanti pour que la justice me devînt indifférente. Le spectacle de l'injustice et de la méchanceté me fait encore bouillir le sang de colère ; les actes de vertu où je ne vois ni forfanterie ni ostentation me font toujours tressaillir de joie, et m'arrachent encore de douces larmes. Mais il faut que je les voie et les apprécie moi-même ; car, après ma propre histoire, il faudroit que je fusse insensé pour adopter, sur quoi que ce fût, le jugement des hommes, et pour croire aucune chose sur la foi d'autrui.

Si ma figure et mes traits étoient aussi parfaitement inconnus aux hommes que le sont mon caractère et mon naturel, je vivrois encore sans peine au milieu d'eux. Leur société même pourroit me plaire tant que je leur serois parfaitement étranger. Livré sans contrainte à mes inclinations naturelles, je les aimerois encore s'ils ne s'occupoient jamais de moi. J'exercerois sur eux une bienveillance universelle et parfaitement désintéressée ; mais sans former jamais d'attachement particulier, et sans porter le joug d'aucun devoir, je ferois envers eux, librement et de moi-même, tout ce qu'ils ont tant de peine à faire incités par leur amour-propre, et contraints par toutes leurs lois.

Si j'étois resté libre, obscur, isolé, comme j'étois fait pour l'être, je n'aurois fait que du bien, car je n'ai dans le cœur le germe d'aucune passion nuisible. Si j'eusse été invisible et tout-puissant comme Dieu, j'aurois été bienfaisant et bon comme lui. C'est la force et la liberté qui font les excellens hommes : la foiblesse et l'esclavage n'ont jamais fait que des méchans. Si j'eusse été possesseur de l'anneau de Gygès, il m'eût tiré de la dépendance des hommes et les eût mis dans la mienne. Je me suis souvent demandé dans mes châteaux en Espagne quel usage j'aurois fait de cet anneau ; car c'est bien là que la tentation d'abuser doit être près du pouvoir. Maître de contenter mes désirs, pouvant tout, sans pouvoir être trompé par personne, qu'aurois-je pu désirer avec quelque suite ?   Une seule chose : ç'eût été de voir tous les cœurs contens.   L'aspect de la félicité publique eût pu seul toucher mon cœur d'un sentiment permanent, et l'ardent désir d'y concourir eût été ma plus constante passion.   Toujours juste sans partialité, et toujours bon sans foiblesse, je me serois également garanti des méfiances aveugles et des haines implacables ; parce que, voyant les hommes tels qu'ils sont, et lisant aisément au fond de leurs cœurs, j'en aurois peu trouvé d'assez aimables pour mériter toutes mes affections, peu d'assez odieux pour mériter ma haine, et que leur méchanceté même m'eût disposé à les plaindre, par la connoissance certaine du mal qu'ils se font à eux-mêmes en voulant en faire à autrui.   Peut-être aurois-je eu dans des momens de gaieté l'enfantillage d'opérer quelquefois des prodiges ; mais parfaitement désintéressé pour moi-même, et n'ayant pour loi que mes inclinations naturelles, sur quelques actes de justice sévère j'en aurois fait mille de clémence et d'équité.   Ministre de la Providence et dispensateur de ses lois, selon mon pouvoir, j'aurois fait des miracles plus sages et plus utiles que ceux de la Légende dorée et du Tombeau de saint Médard.

Il n'y a qu'un seul point sur lequel la faculté de pénétrer partout invisible m'eût pu faire chercher des tentations auxquelles j'aurois mal résisté ; et, une fois entré dans ces voies d'égarement, où n'eussé-je point été conduit par elles ? Ce seroit bien mal connoître la nature et moi-même que de me flatter que ces facilités ne m'auroient point séduit, ou que la raison m'auroit arrêté dans cette fatale pente.   Sûr de moi sur tout autre article, j'étois perdu par celui-là seul. Celui que sa puissance met au-dessus de l'homme doit être au-dessus des foiblesses de l'humanité, sans quoi cet excès de force ne servira qu'à la mettre en effet au-dessous des autres et de ce qu'il eût été lui-même s'il fût resté leur égal.

Tout bien considéré, je crois que je ferai mieux de jeter mon anneau magique avant qu'il m'ait fait faire quelque

sottise.   Si les hommes s'obstinent à me voir tout autre que
je ne suis, et que mon aspect irrite leur injustice, pour leur
ôter cette vue il faut les fuir, mais non pas m'éclipser au
milieu d'eux.   C'est à eux de se cacher devant moi, de me
dérober leurs manœuvres, de fuir la lumière du jour, de
s'enfoncer en terre comme des taupes.   Pour moi, qu'ils me
voient, s'ils peuvent, tant mieux ; mais cela leur est impossible : ils ne verront jamais à ma place que le Jean-Jacques
qu'ils se sont fait, et qu'ils ont fait selon leur cœur pour le
haïr à leur aise.   J'aurois donc tort de m'affecter de la façon
dont ils me voient : je n'y dois prendre aucun intérêt
véritable, car ce n'est pas moi qu'ils voient ainsi.

Le résultat que je puis tirer de toutes ces réflexions est que
je n'ai jamais été vraiment propre à la société civile, où tout
est gêne, obligation, devoir, et que mon naturel indépendant
me rendit toujours incapable des assujettissemens nécessaires à qui veut vivre avec les hommes.   Tant que j'agis
librement, je suis bon et je ne fais que du bien ; mais sitôt
que je sens le joug, soit de la nécessité, soit des hommes, je
deviens rebelle, ou plutôt rétif : alors je suis nul.   Lorsqu'il
faut faire le contraire de ma volonté, je ne le fais point, quoi
qu'il arrive ; je ne fais pas non plus ma volonté même, parce
que je suis foible.   Je m'abstiens d'agir, car toute ma
foiblesse est pour l'action, toute ma force est négative, et
tous mes péchés sont d'omission, rarement de commission.
Je n'ai jamais cru que la liberté de l'homme consistât à faire
ce qu'il veut, mais bien à ne jamais faire ce qu'il ne veut pas,
et voilà celle que j'ai toujours réclamée, souvent conservée,
et par qui j'ai été le plus en scandale à mes contemporains.
Car, pour eux, actifs, remuans, ambitieux, détestant la
liberté dans les autres, et n'en voulant point pour eux-
mêmes, pourvu qu'ils fassent quelquefois leur volonté, ou
plutôt qu'ils dominent celle d'autrui, ils se gênent toute leur
vie à faire ce qui leur répugne, et n'omettent rien de servile
pour commander.   Leur tort n'a donc pas été de m'écarter
de la société comme un membre inutile, mais de m'en proscrire
comme un membre pernicieux ; car j'ai très peu fait de bien,
je l'avoue ; mais pour du mal, il n'en est entré dans ma

volonté de ma vie, et je doute qu'il y ait aucun homme au monde qui en ait réellement moins fait que moi.

SEPTIÈME PROMENADE

LE recueil de mes longs rêves est à peine commencé, et déjà je sens qu'il touche à sa fin.   Un autre amusement lui succède, m'absorbe, et m'ôte même le tems de rêver. Je m'y livre avec un engouement qui tient de l'extravagance, et qui me fait rire moi-même quand j'y réfléchis ; mais je ne m'y livre pas moins, parce que, dans la situation où me voilà, je n'ai plus d'autre règle de conduite que de suivre en tout mon penchant sans contrainte.   Je ne peux rien à mon sort, je n'ai que des inclinations innocentes ; et tous les jugemens des hommes étant désormais nuls pour moi, la sagesse même veut qu'en ce qui reste à ma portée je fasse tout ce qui me flatte, soit en public, soit à part moi, sans autre règle que ma fantaisie, et sans autre mesure que le peu de force qui m'est resté.   Me voilà donc à mon foin pour toute nourriture, et à la Botanique pour toute occupation. Déjà vieux, j'en avois pris la première teinture en Suisse, auprès du docteur d'Ivernois, et j'avois herborisé assez heureusement, durant mes voyages, pour prendre une connoissance passable du règne végétal. Mais devenu plus que sexagénaire, et sédentaire à Paris, les forces commençant à me manquer pour les grandes herborisations, et, d'ailleurs, assez livré à ma copie de musique pour n'avoir pas besoin d'autre occupation, j'avois abandonné cet amusement, qui ne m'étoit plus nécessaire ; j'avois vendu mon herbier, j'avois vendu mes livres, content de revoir quelquefois les plantes communes que je trouvois autour de Paris, dans mes promenades. Durant cet intervalle, le peu que je savois s'est presque entièrement effacé de ma mémoire, et bien plus rapidement qu'il ne s'y étoit gravé.

Tout d'un coup, âgé de soixante-cinq ans passés, privé du peu de mémoire que j'avois, et des forces qui me restoient pour courir la campagne, sans guide, sans livres, sans jardin, sans herbier, me voilà repris de cette folie, mais avec plus d'ardeur encore que je n'en eus en m'y livrant la première fois ; me voilà sérieusement occupé du sage projet d'apprendre par cœur tout le *Regnum vegetabile* de Murray, et de connoître toutes les plantes connues sur la terre. Hors d'état de racheter des livres de botanique, je me suis mis en devoir de transcrire ceux qu'on m'a prêtés ; et résolu de refaire un herbier plus riche que le premier, en attendant que j'y mette toutes les plantes de la mer et des Alpes, et de tous les arbres des Indes, je commence toujours à bon compte par le Mouron, le Cerfeuil, la Bourrache et le Seneçon : j'herborise savamment sur la cage de mes oiseaux ; et à chaque nouveau brin d'herbe que je rencontre, je me dis avec satisfaction : Voilà toujours une plante de plus.

Je ne cherche pas à justifier le parti que je prens de suivre cette fantaisie ; je la trouve très raisonnable, persuadé que, dans la position où je suis, me livrer aux amusemens qui me flattent est une grande sagesse, et même une grande vertu : c'est le moyen de ne laisser germer dans mon cœur aucun levain de vengeance ou de haine ; et, pour trouver dans ma destinée du goût à quelque amusement, il faut assurément avoir un naturel bien épuré de toutes passions irascibles. C'est me venger de mes persécuteurs à ma manière : je ne saurois les punir plus cruellement que d'être heureux malgré eux.

Oui, sans doute, la raison me permet, me prescrit même de me livrer à tout penchant qui m'attire, et que rien ne m'empêche de suivre ; mais elle ne m'apprend pas pourquoi ce penchant m'attire, et quel attrait je puis trouver à une vaine étude faite sans profit, sans progrès, et qui, vieux, radoteur, déjà caduc et pesant, sans facilité, sans mémoire, me ramène aux exercices de la jeunesse et aux leçons d'un écolier. Or c'est une bizarrerie que je voudrois m'expliquer ; il me semble que, bien éclaircie, elle pourroit jeter quelque nouveau jour sur cette connoissance de moi-même, à l'acquisition de laquelle j'ai consacré mes derniers loisirs.

J'ai pensé quelquefois assez profondément, mais rarement

avec plaisir, presque toujours contre mon gré et comme par
force : la rêverie me délasse et m'amuse, la réflexion me
fatigue et m'attriste ; penser fut toujours pour moi une
occupation pénible et sans charme.   Quelquefois mes rêveries
finissent par la méditation, mais plus souvent mes méditations finissent par la rêverie ; et, durant ces égaremens, mon
âme erre et plane dans l'univers sur les ailes de l'imagination,
dans des extases qui passent toute autre jouissance.

Tant que je goûtai celle-là dans toute sa pureté, toute
autre occupation me fut toujours insipide.   Mais quand, une
fois jeté dans la carrière littéraire par des impulsions
étrangères, je sentis la fatigue du travail d'esprit, et l'impor-
tunité d'une célébrité malheureuse, je sentis en même tems
languir et s'attiédir mes douces rêveries ; et, bientôt forcé
de m'occuper malgré moi de ma triste situation, je ne pus
plus retrouver que bien rarement ces chères extases qui,
durant cinquante ans, m'avoient tenu lieu de fortune et de
gloire, et, sans autre dépense que celle du tems, m'avoient
rendu dans l'oisiveté le plus heureux des mortels.

J'avois même à craindre, dans mes rêveries, que mon
imagination, effarouchée par mes malheurs, ne tournât enfin
de ce côté son activité, et que le continuel sentiment de mes
peines, me resserrant le cœur par degrés, ne m'accablât enfin
de leur poids.   Dans cet état, un instinct qui m'est naturel,
me faisant fuir toute idée attristante, imposa silence à mon
imagination, et, fixant mon attention sur les objets qui
m'environnoient, me fit, pour la première fois, détailler le
spectacle de la nature, que je n'avois guères contemplé
jusqu'alors qu'en masse et dans son ensemble.

Les arbres, les arbrisseaux, les plantes, sont la parure et
le vêtement de la terre.   Rien n'est si triste que l'aspect d'une
campagne nue et pelée, qui n'étale aux yeux que des pierres;
du limon et des sables.   Mais, vivifiée par la nature, et
revêtue de sa robe de noces, au milieu du cours des eaux et
du chant des oiseaux, la terre offre à l'homme, dans l'harmonie des trois règnes, un spectacle plein de vie, d'intérêt et
de charmes, le seul spectacle au monde dont ses yeux et son
cœur ne se lassent jamais.

Plus un contemplateur a l'âme sensible, plus il se livre aux extases qu'excite en lui cet accord. Une rêverie douce et profonde s'empare alors de ses sens, et il se perd avec une délicieuse ivresse dans l'immensité de ce beau système avec lequel il se sent identifié. Alors tous les objets particuliers lui échappent ; il ne voit et ne sent rien que dans le tout. Il faut que quelque circonstance particulière resserre ses idées et circonscrive son imagination, pour qu'il puisse observer par partie cet univers qu'il s'efforçoit d'embrasser.

C'est ce qui m'arriva naturellement quand mon cœur, resserré par la détresse, rapprochoit et concentroit tous ses mouvemens autour de lui pour conserver ce reste de chaleur prêt à s'évaporer et s'éteindre dans l'abattement où je tombois par degrés. J'errois nonchalamment dans les bois et dans les montagnes, n'osant penser de peur d'attiser mes douleurs. Mon imagination, qui se refuse aux objets de peine, laissoit mes sens se livrer aux impressions légères, mais douces, des objets environnans. Mes yeux se promenoient sans cesse de l'un à l'autre, et il n'étoit pas possible que, dans une variété si grande, il ne s'en trouvât qui les fixoient davantage et les arrêtoient plus longtems.

Je pris goût à cette récréation des yeux qui, dans l'infortune, repose, amuse, distrait l'esprit et suspend le sentiment des peines. La nature des objets aide beaucoup à cette diversion, et la rend plus séduisante. Les odeurs suaves, les vives couleurs, les plus élégantes formes, semblent se disputer à l'envi le droit de fixer notre attention. Il ne faut qu'aimer le plaisir pour se livrer à des sensations si douces ; et si cet effet n'a pas lieu sur tous ceux qui en sont frappés, c'est, dans les uns, faute de sensibilité naturelle, et, dans la plupart, que leur esprit, trop occupé d'autres idées, ne se livre qu'à la dérobée aux objets qui frappent leurs sens.

Une autre chose contribue encore à éloigner du règne végétal l'attention des gens de goût : c'est l'habitude de ne chercher dans les plantes que des drogues et des remèdes. Théophraste s'y étoit pris autrement, et l'on peut regarder ce philosophe comme le seul botaniste de l'antiquité : aussi n'est-il presque point connu parmi nous ; mais, grâce à un certain Dioscoride, grand compilateur de recettes, et à ses commentateurs, la médecine s'est tellement emparée des plantes transformées en simples, qu'on n'y voit que ce qu'on n'y voit point, savoir les prétendues vertus qu'il plaît au tiers et au quart de leur attribuer. On ne conçoit pas que l'organisation végétale puisse par elle-même mériter quelque attention ; des gens qui passent leur vie à arranger savamment des coquilles se moquent de la botanique comme d'une étude inutile, quand on n'y joint pas, comme ils disent, celle des propriétés, c'est-à-dire quand on n'abandonne pas l'observation de la nature, qui ne ment point, et qui ne nous dit rien de tout cela, pour se livrer uniquement à l'autorité des hommes, qui sont menteurs et qui nous affirment beaucoup de choses qu'il faut croire sur leur parole, fondée ellemême le plus souvent sur l'autorité d'autrui. Arrêtez-vous dans une prairie émaillée à examiner successivement les fleurs dont elle brille ; ceux qui vous verront faire, vous prenant pour un frater, vous demanderont des herbes pour guérir la rogne des enfans, la gale des hommes, ou la morve des chevaux.

Ce dégoûtant préjugé est détruit en partie dans les autres pays, et surtout en Angleterre, grâce à Linnæus, qui a un peu tiré la botanique des écoles de pharmacie pour la rendre à l'histoire naturelle et aux usages économiques ; mais en France, où cette étude a moins pénétré chez les gens du monde, on est resté sur ce point tellement barbare, qu'un bel esprit de Paris, voyant à Londres un jardin de curieux, plein d'arbres et de plantes rares, s'écria pour tout éloge : *Voilà un fort beau jardin d'apothicaire !* A ce compte, le premier apothicaire fut Adam. Car il n'est pas aisé d'imaginer un jardin mieux assorti de plantes que celui d'Éden.

Ces idées médicinales ne sont assurément guères propres à rendre agréable l'étude de la botanique ; elles flétrissent l'émail des prés, l'éclat des fleurs, dessèchent la fraîcheur des bocages, rendent la verdure et les ombrages insipides et dégoûtans ; toutes ces structures charmantes et gracieuses intéressent fort peu quiconque ne veut que piler tout cela dans un mortier, et l'on n'ira pas chercher des guirlandes pour les bergères parmi les herbes pour les lavemens.

Toute cette pharmacie ne souilloit point mes images champêtres ; rien n'en étoit plus éloigné que des tisanes et des emplâtres. J'ai souvent pensé, en regardant de près les champs, les vergers, les bois et leurs nombreux habitans, que le règne végétal étoit un magasin d'alimens donnés par la nature à l'homme et aux animaux. Mais jamais il ne m'est venu à l'esprit d'y chercher des drogues et des remèdes. Je ne vois rien dans ces diverses productions qui m'indique un pareil usage ; et elle nous auroit montré le choix, si elle nous l'avoit prescrit, comme elle a fait pour les comestibles. Je sens même que le plaisir que je prens à parcourir les bocages seroit empoisonné par le sentiment des infirmités humaines, s'il me laissoit penser à la fièvre, à la pierre, à la goutte et au mal caduc. Du reste, je ne disputerai point aux végétaux les grandes vertus qu'on leur attribue ; je dirai seulement qu'en supposant ces vertus réelles, c'est malice pure aux malades de continuer à l'être ; car de tant de maladies que les hommes se donnent, il n'y en a pas une seule dont vingt sortes d'herbes ne guérissent radicalement.

Ces tournures d'esprit qui rapportent toujours tout à notre intérêt matériel, qui font chercher partout du profit ou des remèdes, et qui feroient regarder avec indifférence toute la nature, si l'on se portoit toujours bien, n'ont jamais été les miennes. Je me sens là-dessus tout à rebours des autres hommes : tout ce qui tient au sentiment de mes besoins attriste et gâte mes pensées, et jamais je n'ai trouvé de vrais charmes aux plaisirs de l'esprit, qu'en perdant tout à fait de vue l'intérêt de mon corps. Ainsi, quand même je croirois à la médecine, et quand même ses remèdes seroient agréables, je ne trouverois jamais à m'en occuper ces délices que donne une contemplation pure et désintéressée ; et mon âme ne sauroit s'exalter et planer sur la nature, tant que je la sens tenir aux liens de mon corps. D'ailleurs, sans avoir eu jamais grande confiance à la médecine, j'en ai eu beaucoup à des médecins que j'estimois, que j'aimois, et à qui je laissois gouverner ma carcasse avec pleine autorité. Quinze

ans d'expérience m'ont instruit à mes dépens ; rentré maintenant sous les seules lois de la nature, j'ai repris par elle
ma première santé.   Quand les médecins n'auroient point
contre moi d'autres griefs, qui pourroit s'étonner de leur
haine ?   Je suis la preuve vivante de la vanité de leur art
et de l'inutilité de leurs soins.

Non, rien de personnel, rien qui tienne à l'intérêt de mon
corps ne peut occuper vraiment mon âme.   Je ne médite,
je ne rêve jamais plus délicieusement que quand je m'oublie
moi-même.   Je sens des extases, des ravissemens inexprimables, à me fondre, pour ainsi dire, dans le système des êtres,
à m'identifier avec la nature entière.   Tant que les hommes
furent mes frères, je me faisois des projets de félicité terrestre ;
ces projets étant toujours relatifs au tout, je ne pouvois être
heureux que de la félicité publique, et jamais l'idée d'un
bonheur particulier n'a touché mon cœur que quand j'ai
vu mes frères ne chercher le leur que dans ma misère.   Alors,
pour ne les pas haïr, il a bien fallu les fuir ; alors, me réfugiant
chez la mère commune, j'ai cherché dans ses bras à me
soustraire aux atteintes de ses enfans ; je suis devenu
solitaire, ou, comme ils disent, insociable et misanthrope,
parce que la plus sauvage solitude me paroît préférable à la
société des méchans, qui ne se nourrit que de trahisons et
de haine.

Forcé de m'abstenir de penser, de peur de penser à mes
malheurs malgré moi ; forcé de contenir les restes d'une
imagination riante, mais languissante, que tant d'angoisses
pourroient effaroucher à la fin ; forcé de tâcher d'oublier les
hommes qui m'accablent d'ignominie et d'outrages, de peur
que l'indignation ne m'aigrît enfin contre eux, je ne puis
cependant me concentrer tout entier en moi-même, parce
que mon âme expansive cherche, malgré que j'en aie, à
étendre ses sentimens et son existence sur d'autres êtres, et
je ne puis plus, comme autrefois, me jeter tête baissée dans
ce vaste océan de la nature, parce que mes facultés, affoiblies
et relâchées, ne trouvent plus d'objets assez déterminés,
assez fixes, assez à ma portée, pour s'y attacher fortement,
et que je ne me sens plus assez de vigueur pour nager dans

le chaos de mes anciennes extases. Mes idées ne sont presque plus que des sensations, et la sphère de mon entendement ne passe pas les objets dont je suis immédiatement entouré.

Fuyant les hommes, cherchant la solitude, n'imaginant plus, pensant encore moins, et cependant doué d'un tempérament vif, qui m'éloigne de l'apathie languissante et mélancolique, je commençai de m'occuper de tout ce qui m'entouroit ; et, par un instinct fort naturel, je donnai la préférence aux objets les plus agréables. Le règne minéral n'a rien en soi d'aimable et d'attrayant ; ses richesses, enfermées dans le sein de la terre, semblent avoir été éloignées des regards des hommes pour ne pas tenter leur cupidité : elles sont là comme en réserve pour servir un jour de supplément aux véritables richesses qui sont plus à sa portée, et dont il perd le goût à mesure qu'il se corrompt. Alors il faut qu'il appelle l'industrie, la peine et le travail, au secours de ses misères ; il fouille les entrailles de la terre, il va chercher dans son centre, aux risques de sa vie et aux dépens de sa santé, des biens imaginaires à la place des biens réels qu'elle lui offroit d'elle-même quand il savoit en jouir. Il fuit le soleil et le jour, qu'il n'est plus digne de voir ; il s'enterre tout vivant, et fait bien, ne méritant plus de vivre à la lumière du jour. Là des carrières, des gouffres, des forges, des fourneaux, un appareil d'enclumes, de marteaux, de fumée et de feu, succèdent aux douces images des travaux champêtres. Les visages hâves des malheureux qui languissent dans les infectes vapeurs des mines, de noirs forgerons, de hideux cyclopes, sont le spectacle que l'appareil des mines substitue, au sein de la terre, à celui de la verdure et des fleurs, du ciel azuré, des bergers amoureux et des laboureurs robustes sur sa surface.

Il est aisé, je l'avoue, d'aller ramassant du sable et des pierres, d'en remplir ses poches et son cabinet, et de se donner avec cela les airs d'un naturaliste : mais ceux qui s'attachent et se bornent à ces sortes de collections sont, pour l'ordinaire, de riches ignorans qui ne cherchent à cela que le plaisir de l'étalage. Pour profiter dans l'étude des minéraux, il faut être chimiste et physicien ; il faut faire des expériences pénibles et coûteuses, travailler dans des laboratoires, dépenser beaucoup d'argent et de tems parmi le charbon, les creusets, les fourneaux, les cornues, dans la fumée et les vapeurs étouffantes, toujours au risque de sa vie, et souvent aux dépens de sa santé. De tout ce triste et fatigant travail résulte pour l'ordinaire beaucoup moins de savoir que d'orgueil ; et où est le plus médiocre chimiste qui ne croie pas avoir pénétré toutes les grandes opérations de la nature, pour avoir trouvé, par hasard peut-être, quelques petites combinaisons de l'art ?

Le règne animal est plus à notre portée, et certainement mérite encore mieux d'être étudié ; mais enfin cette étude n'a-t-elle pas aussi ses difficultés, ses embarras, ses dégoûts et ses peines ? Surtout pour un solitaire qui n'a, ni dans ses jeux ni dans ses travaux, d'assistance à espérer de personne ; comment observer, disséquer, étudier, connoître les oiseaux dans les airs, les poissons dans les eaux, les quadrupèdes plus légers que le vent, plus forts que l'homme, et qui ne sont pas plus disposés à venir s'offrir à mes recherches, que moi de courir après eux pour les y soumettre de force ? J'aurois donc pour ressource des escargots, des vers, des mouches ; et je passerois ma vie à me mettre hors d'haleine pour courir après des papillons, à empaler de pauvres insectes, à disséquer des souris quand j'en pourrois prendre, ou les charognes des bêtes que par hasard je trouverois mortes. L'étude des animaux n'est rien sans l'anatomie ; c'est par elle qu'on apprend à les classer, à distinguer les genres, les espèces. Pour les étudier par leurs mœurs, par leurs caractères, il faudroit avoir des volières, des viviers, des ménageries ; il faudroit les contraindre en quelque manière que ce pût être, à rester rassemblés autour de moi ; je n'ai ni le goût ni les moyens de les tenir en captivité, ni l'agilité nécessaire pour les suivre dans leurs allures quand ils sont en liberté. Il faudra donc les étudier morts, les déchirer, les désosser, fouiller à loisir dans leurs entrailles palpitantes ! Quel appareil affreux qu'un amphithéâtre anatomique, des cadavres puans, de baveuses et livides chairs, du sang, des

intestins dégoûtans, des squelettes affreux, des vapeurs pesti-
lentielles ! Ce n'est pas là, sur ma parole, que Jean-Jacques
ira chercher ses amusemens.

Brillantes fleurs, émail des prés, ombrages frais, ruisseaux,
bosquets, verdure, venez purifier mon imagination salie par
tous ces hideux objets. Mon âme, morte à tous les grands
mouvemens, ne peut plus s'affecter que par des objets
sensibles ; je n'ai plus que des sensations, et ce n'est plus
que par elles que la peine ou le plaisir peuvent m'atteindre
ici-bas. Attiré par les rians objets qui m'entourent, je les con-
sidère, je les contemple, je les compare, j'apprens enfin à les
classer, et me voilà tout d'un coup aussi botaniste qu'a besoin
de l'être celui qui ne veut étudier la nature que pour trouver
sans cesse de nouvelles raisons de l'aimer.

Je ne cherche point à m'instruire : il est trop tard.
D'ailleurs je n'ai jamais vu que tant de science contribuât
au bonheur de la vie ; mais je cherche à me donner des
amusemens doux et simples, que je puisse goûter sans peine,
et qui me distraient de mes malheurs. Je n'ai ni dépense
à faire, ni peine à prendre pour errer nonchalamment d'herbe
en herbe, de plante en plante, pour les examiner, pour
comparer leurs divers caractères, pour marquer leurs rapports
et leurs différences, enfin pour observer l'organisation
végétale de manière à suivre la marche et le jeu de ces
machines vivantes, à chercher quelquefois avec succès leurs
lois générales, la raison et la fin de leurs structures diverses,
et à me livrer aux charmes de l'admiration reconnoissante
pour la main qui me fait jouir de tout cela.

Les plantes semblent avoir été semées avec profusion sur
la terre, comme les étoiles dans le ciel, pour inviter l'homme,
par l'attrait du plaisir et de la curiosité, à l'étude de la
nature ; mais les astres sont placés loin de nous ; il faut des
connoissances préliminaires, des instrumens, des machines,
de bien longues échelles pour les atteindre et les rapprocher
à notre portée. Les plantes y sont naturellement. Elles
naissent sous nos pieds et dans nos mains, pour ainsi dire ;
et, si la petitesse de leurs parties essentielles les dérobe
quelquefois à la simple vue, les instrumens qui les y rendent

H

sont d'un beaucoup plus facile usage que ceux de l'astronomie. La botanique est l'étude d'un oisif et paresseux solitaire : une pointe et une loupe sont tout l'appareil dont il a besoin pour les observer. Il se promène, il erre librement d'un objet à l'autre, il fait la revue de chaque fleur avec intérêt et curiosité, et, sitôt qu'il commence à saisir les lois de leur structure, il goûte à les observer un plaisir sans peine, aussi vif que s'il lui en coûtoit beaucoup. Il y a dans cette oiseuse occupation un charme qu'on ne sent que dans le plein calme des passions, mais qui suffit seul alors pour rendre la vie heureuse et douce ; mais sitôt qu'on y mêle un motif d'intérêt ou de vanité, soit pour remplir des places ou pour faire des livres, sitôt qu'on ne veut apprendre que pour instruire, qu'on n'herborise que pour devenir auteur ou professeur, tout ce doux charme s'évanouit, on ne voit plus dans les plantes que des instrumens de nos passions, on ne trouve plus aucun vrai plaisir dans leur étude, on ne veut plus savoir, mais montrer qu'on sait, et dans les bois on n'est que sur le théâtre du monde, occupé du soin de s'y faire admirer ; ou bien, se bornant à la botanique de cabinet et de jardin tout au plus, au lieu d'observer les végétaux dans la nature, on ne s'occupe que de systèmes et de méthodes, matière éternelle de dispute, qui ne fait pas connoître une plante de plus, et ne jette aucune véritable lumière sur l'histoire naturelle et le règne végétal. De là les haines, les jalousies, que la concurrence de célébrité excite chez les botanistes auteurs, autant et plus que chez les autres savans. En dénaturant cette aimable étude, ils la transplantent au milieu des villes et des académies, où elle ne dégénère pas moins que les plantes exotiques dans les jardins des curieux.

Des dispositions bien différentes ont fait pour moi de cette étude une espèce de passion qui remplit le vide de toutes celles que je n'ai plus. Je gravis les rochers, les montagnes, je m'enfonce dans les vallons, dans les bois, pour me dérober, autant qu'il est possible, au souvenir des hommes et aux atteintes des méchans. Il me semble que sous les ombrages d'une forêt je suis oublié, libre, et paisible comme si je n'avois plus d'ennemis, ou que le feuillage des bois dût me garantir de leurs atteintes, comme il les éloigne de mon souvenir, et je m'imagine, dans ma bêtise, qu'en ne pensant point à eux ils ne penseront point à moi. Je trouve une si grande douceur dans cette illusion, que je m'y livrerois tout entier si ma situation, ma foiblesse et mes besoins me le permettoient. Plus la solitude où je vis alors est profonde, plus il faut que quelque objet en remplisse le vide, et ceux que mon imagination me refuse ou que ma mémoire repousse sont suppléés par les productions spontanées que la terre non forcée par les hommes offre à mes yeux de toutes parts. Le plaisir d'aller dans un désert chercher de nouvelles plantes couvre celui d'échapper à mes persécuteurs ; et, parvenu dans des lieux où je ne vois nulles traces d'hommes, je respire plus à mon aise, comme dans un asile où leur haine ne me poursuit plus.

Je me rappellerai toute ma vie une herborisation que je fis un jour du côté de la Robaila, montagne du justicier Clerc. J'étois seul, je m'enfonçai dans les anfractuosités de la montagne ; et, de bois en bois, de roche en roche, je parvins à un réduit si caché, que je n'ai vu de ma vie un aspect plus sauvage. De noirs sapins entremêlés de hêtres prodigieux, dont plusieurs tombés de vieillesse et entrelacés les uns dans les autres, fermoient ce réduit de barrières impénétrables ; quelques intervalles que laissoit cette sombre enceinte n'offroient au delà que des roches coupées à pic, et d'horribles précipices que je n'osois regarder qu'en me couchant sur le ventre. Le Duc, la Chevêche et l'Orfraie, faisoient entendre leurs cris dans les fentes de la montagne ; quelques petits oiseaux rares, mais familiers, tempéroient cependant l'horreur de cette solitude ; là, je trouvai la Dentaire *heptaphyllos*, le *ciclamen*, le *nidus avis*, le grand *laserpitium*, et quelques autres plantes qui me charmèrent et m'amusèrent longtems ; mais, insensiblement dominé par la forte impression des objets, j'oubliai la botanique et les plantes, je m'assis sur des oreillers de *lycopodium* et de mousses, et je me mis à rêver plus à mon aise, en pensant que j'étois là dans un refuge ignoré de tout l'univers, où les persécuteurs ne me déterreroient pas.

Un mouvement d'orgueil se mêla bientôt à cette rêverie. Je me comparois à ces grands voyageurs qui découvrent une île déserte, et je me disois avec complaisance : Sans doute je suis le premier mortel qui ait pénétré jusqu'ici. Je me regardois presque comme un autre Colomb. Tandis que je me pavanois dans cette idée, j'entendis peu loin de moi un certain cliquetis que je crus reconnoître ; j'écoute : le même bruit se répète et se multiplie. Surpris et curieux, je me lève, je perce à travers un fourré de broussailles du côté d'où venoit le bruit, et dans une combe, à vingt pas du lieu même où je croyois être parvenu le premier, j'aperçois une manufacture de bas.

Je ne saurois exprimer l'agitation confuse et contradictoire que je sentis dans mon cœur à cette découverte. Mon premier mouvement fut un sentiment de joie de me retrouver parmi les humains où je m'étois cru totalement seul ; mais ce mouvement, plus rapide que l'éclair, fit bientôt place à un sentiment douloureux plus durable, comme ne pouvant dans les antres mêmes des Alpes échapper aux cruelles mains des hommes acharnés à me tourmenter. Car j'étois bien sûr qu'il n'y avoit peut-être pas deux hommes dans cette fabrique qui ne fussent initiés dans le complot dont le prédicant Montmolin [1] s'étoit fait le chef, et qui tiroit de plus loin ses premiers mobiles. Je me hâtai d'écarter cette triste idée, et je finis par rire en moi-même et de ma vanité puérile, et de la manière comique dont j'en avois été puni.

Mais, en effet, qui jamais eût dû s'attendre à trouver une manufacture dans un précipice ! Il n'y a que la Suisse au monde qui présente ce mélange de la nature sauvage et de l'industrie humaine. La Suisse entière n'est, pour ainsi dire, qu'une grande ville, dont les rues, larges et longues plus que celle de Saint-Antoine, sont semées de forêts, coupées de montagnes, et dont les maisons éparses et isolées ne communiquent entre elles que par des jardins anglois. Je me rappelai à ce sujet une autre herborisation que du Peyrou, d'Escherny, le colonel Pury, le justicier Clerc et moi, avions faite il y avoit quelque tems sur la montagne de Chasseron, du sommet de laquelle on découvre sept lacs. On nous dit

qu'il n'y avoit qu'une seule maison sur cette montagne, et
nous n'eussions sûrement pas deviné la profession de celui
qui l'habitoit, si l'on n'eût ajouté que c'étoit un Libraire, et
qui même faisoit fort bien ses affaires dans le pays.[1] Il me
semble qu'un seul fait de cette espèce fait mieux connoître la
Suisse que toutes les descriptions des voyageurs.

En voici un autre de même nature, ou à peu près, qui ne
fait pas moins connoître un peuple fort différent. Durant
mon séjour à Grenoble, je faisois souvent de petites herborisations hors la ville avec le sieur Bovier,[2] avocat de ce
pays-là, non pas qu'il aimât ni sût la botanique, mais parce
que, s'étant fait mon garde de la manche, il se faisoit, autant
que la chose étoit possible, une loi de ne pas me quitter d'un
pas. Un jour nous nous promenions le long de l'Isère, dans
un lieu tout plein de saules épineux. Je vis sur ces arbrisseaux des fruits mûrs ; j'eus la curiosité d'en goûter, et, leur
trouvant une petite acidité très agréable, je me mis à manger
de ces grains pour me rafraîchir ; le sieur Bovier se tenoit
à côté de moi sans m'imiter et sans rien dire. Un de ses
amis survint qui, me voyant picorer ces grains, me dit :
Eh ! Monsieur, que faites-vous là ? ignorez-vous que ce
fruit empoisonne ? — Ce fruit empoisonne ! m'écriai-je tout
surpris. — Sans doute, reprit-il, et tout le monde sait si bien
cela, que personne dans le pays ne s'avise d'en goûter. Je
regardois le sieur Bovier, et je lui dis : Pourquoi donc ne
m'avertissiez-vous pas ? — Ah ! Monsieur, me répondit-il
d'un ton respectueux, je n'osois pas prendre cette liberté.
Je me mis à rire de cette humilité dauphinoise, en discon-
tinuant néanmoins ma petite collation. J'étois persuadé,
comme je le suis encore, que toute production naturelle
agréable au goût ne peut être nuisible au corps, ou ne l'est
du moins que par son excès. Cependant j'avoue que je
m'écoutai un peu tout le reste de la journée ; mais j'en fus
quitte pour un peu d'inquiétude ; je soupai très bien, dormis
mieux, et me levai le matin en parfaite santé, après avoir
avalé la veille quinze ou vingt grains de ce terrible *hippo-
phœ*, qui empoisonne à très petite dose, à ce que tout le
monde me dit à Grenoble le lendemain. Cette aventure me

parut si plaisante, que je ne me la rappelle jamais sans rire de la singulière discrétion de M. l'avocat Bovier.

Toutes mes courses de botanique, les diverses impressions du local des objets qui m'ont frappé, les idées qu'il m'a fait naître, les incidens qui s'y sont mêlés, tout cela m'a laissé des impressions qui se renouvellent par l'aspect des plantes herborisées dans ces mêmes lieux. Je ne reverrai plus ces beaux paysages, ces forêts, ces lacs, ces bosquets, ces rochers, ces montagnes, dont l'aspect a toujours touché mon cœur : mais maintenant que je ne peux plus courir ces heureuses contrées, je n'ai qu'à ouvrir mon herbier, et bientôt il m'y transporte. Les fragmens des plantes que j'y ai cueillies suffisent pour me rappeler tout ce magnifique spectacle. Cet herbier est pour moi un journal d'herborisations, qui me les fait recommencer avec un nouveau charme, et produit l'effet d'un optique qui les peindroit derechef à mes yeux.

C'est la chaîne des idées accessoires qui m'attache à la botanique. Elle rassemble et rappelle à mon imagination toutes les idées qui la flattent davantage : les prés, les eaux, les bois, la solitude, la paix surtout, et le repos qu'on trouve au milieu de tout cela, sont retracés par elle incessamment à ma mémoire. Elle me fait oublier les persécutions des hommes, leur haine, leurs mépris, leurs outrages, et tous les maux dont ils ont payé mon tendre et sincère attachement pour eux. Elle me transporte dans des habitations paisibles, au milieu de gens simples et bons, tels que ceux avec qui j'ai vécu jadis. Elle me rappelle et mon jeune âge, et mes innocens plaisirs ; elle m'en fait jouir derechef, et me rend heureux bien souvent encore, au milieu du plus triste sort qu'ait subi jamais un mortel.

HUITIÈME PROMENADE

En méditant sur les dispositions de mon âme dans toutes les situations de ma vie, je suis extrêmement frappé de voir si peu de proportion entre les diverses combinaisons de ma

destinée et les sentimens habituels de bien ou mal-être dont
elles m'ont affecté. Les divers intervalles de mes courtes
prospérités ne m'ont laissé presque aucun souvenir agréable
de la manière intime et permanente dont elles m'ont affecté ;
et, au contraire, dans toutes les misères de ma vie, je me
sentois constamment rempli de sentimens tendres, touchans,
délicieux, qui, versant un baume salutaire sur les blessures
de mon cœur navré, sembloient en convertir la douleur en
volupté, et dont l'aimable souvenir me revient seul, dégagé
de celui des maux que j'éprouvois en même tems. Il me
semble que j'ai plus goûté la douceur de l'existence, que j'ai
réellement plus vécu, quand mes sentimens, resserrés, pour
ainsi dire, autour de mon cœur par ma destinée, n'alloient
point s'évaporant au-dehors sur tous les objets de l'estime
des hommes qui en méritent si peu par eux-mêmes, et qui
font l'unique occupation des gens que l'on croit heureux.

Quand tout étoit dans l'ordre autour de moi, quand j'étois
content de tout ce qui m'entouroit, et de la sphère dans
laquelle j'avois à vivre, je la remplissois de mes affections.
Mon âme expansive s'étendoit sur d'autres objets. Et,
toujours attiré loin de moi par des goûts de mille espèces,
par des attachemens aimables qui sans cesse occupoient mon
cœur, je m'oubliois, en quelque façon, moi-même, j'étois tout
entier à ce qui m'étoit étranger, et j'éprouvois, dans la con-
tinuelle agitation de mon cœur, toute la vicissitude des choses
humaines. Cette vie orageuse ne me laissoit ni paix au-
dedans, ni repos au-dehors. Heureux en apparence, je
n'avois pas un sentiment qui pût soutenir l'épreuve de la
réflexion, et dans lequel je pusse vraiment me complaire.
Jamais je n'étois parfaitement content ni d'autrui ni de
moi-même. Le tumulte du monde m'étourdissoit, la solitude
m'ennuyoit ; j'avois sans cesse besoin de changer de place,
et je n'étois bien nulle part. J'étois fêté pourtant, bien-
voulu, bien reçu, caressé partout ; je n'avois pas un ennemi,
pas un malveillant, pas un envieux ; comme on ne cherchoit
qu'à m'obliger, j'avois souvent le plaisir d'obliger moi-même
beaucoup de monde, et, sans bien, sans emploi, sans fauteurs,
sans grands talens bien développés ni bien connus, je jouissois

des avantages attachés à tout cela, et je ne voyois personne,
dans aucun état, dont le sort me parût préférable au mien.
Que me manquoit-il donc pour être heureux ? je l'ignore ;
mais je sais que je ne l'étois pas.   Que me manque-t-il
aujourd'hui pour être le plus infortuné des mortels ? rien
de tout ce que les hommes ont pu mettre du leur pour cela.
Hé bien ! dans cet état déplorable, je ne changerois pas
encore d'être et de destinée contre le plus fortuné d'entre
eux, et j'aime encore mieux être moi dans toute ma misère,
que d'être aucun de ces gens-là dans toute leur prospérité.
Réduit à moi seul, je me nourris, il est vrai, de ma propre
substance, mais elle ne s'épuise pas ; je me suffis à moi-même,
quoique je rumine, pour ainsi dire, à vide, et que mon imagination tarie et mes idées éteintes ne fournissent plus
d'alimens à mon cœur.   Mon âme offusquée, obstruée par
mes organes, s'affaisse de jour en jour, et, sous le poids de
ces lourdes masses, n'a plus assez de vigueur pour s'élancer,
comme autrefois, hors de sa vieille enveloppe.

C'est à ce retour sur nous-mêmes que nous force l'adversité, et c'est peut-être là ce qui la rend le plus insupportable
à la plupart des hommes.   Pour moi, qui ne trouve à me
reprocher que des fautes, j'en accuse ma foiblesse, et je me
console, car jamais mal prémédité n'approcha de mon cœur.

Cependant, à moins d'être stupide, comment contempler
un moment ma situation sans la voir aussi horrible qu'ils
l'ont rendue, et sans périr de douleur et de désespoir ?   Loin
de cela, moi, le plus sensible des êtres, je la contemple et ne
m'en émeus pas ; et, sans combats, sans efforts sur moi-
même, je me vois presque avec indifférence dans un état dont
nul autre homme peut-être ne supporteroit l'aspect sans effroi.

Comment en suis-je venu là ? car j'étois bien loin de cette
disposition paisible, au premier soupçon du complot dont
j'étois enlacé depuis longtems sans m'en être aucunement
aperçu.   Cette découverte nouvelle me bouleversa.   L'in-
famie et la trahison me surprirent au dépourvu.   Quelle âme
honnête est préparée à de tels genres de peines ?   Il faudroit
les mériter pour les prévoir.   Je tombai dans tous les pièges
qu'on creusa sous mes pas.   L'indignation, la fureur, le

délire, s'emparèrent de moi : je perdis la tramontane. Ma
tête se bouleversa, et, dans les ténèbres horribles où l'on
n'a cessé de me tenir plongé, je n'aperçus plus ni lueur pour
me conduire, ni appui, ni prise où je pusse me tenir ferme
et résister au désespoir qui m'entraînoit.

Comment vivre heureux et tranquille dans cet état affreux ?
J'y suis pourtant encore, et plus enfoncé que jamais, et j'y
ai retrouvé le calme et la paix ; et j'y vis heureux et tranquille, et j'y ris des incroyables tourmens que mes persécuteurs se donnent sans cesse, tandis que je reste en paix,
occupé de fleurs, d'étamines et d'enfantillages, et que je ne
songe pas même à eux.

Comment s'est fait ce passage ? Naturellement, insensiblement, et sans peine. La première surprise fut épou-
vantable. Moi qui me sentois digne d'amour et d'estime ;
moi qui me croyois honoré, chéri, comme je méritois de
l'être, je me vis travesti tout d'un coup en un monstre
affreux tel qu'il n'en exista jamais. Je vois toute une
génération se précipiter toute entière dans cette étrange
opinion, sans explication, sans doute, sans honte, et sans
que je puisse parvenir à savoir jamais la cause de cette
étrange révolution. Je me débattis avec violence et ne fis
que mieux m'enlacer. Je voulus forcer mes persécuteurs
à s'expliquer avec moi ; ils n'avoient garde. Après m'être
longtems tourmenté sans succès, il fallut bien prendre
haleine. Cependant j'espérois toujours, je me disois : un
aveuglement si stupide, une si absurde prévention, ne sauroit
gagner tout le genre humain. Il y a des hommes de sens
qui ne partagent pas le délire ; il y a des âmes justes qui
détestent la fourberie et les traîtres. Cherchons, je trouverai
peut-être enfin un homme ; si je le trouve, ils sont confondus.
J'ai cherché vainement ; je ne l'ai point trouvé. La ligue
est universelle, sans exception, sans retour ; et je suis sûr
d'achever mes jours dans cette affreuse proscription,[1] sans
jamais en pénétrer le mystère.

C'est dans cet état déplorable qu'après de longues angoisses,
au lieu du désespoir qui sembloit devoir être enfin mon
partage, j'ai retrouvé la sérénité, la tranquillité, la paix, le

bonheur même, puisque chaque jour de ma vie me rappelle
avec plaisir celui de la veille, et que je n'en désire point
d'autre pour le lendemain.

D'où vient cette différence ? D'une seule chose : c'est
que j'ai appris à porter le joug de la nécessité sans murmure.
C'est que je m'efforçois de tenir encore à mille choses, et
que toutes ces prises m'ayant successivement échappé,
réduit à moi seul, j'ai repris enfin mon assiette. Pressé de
tous côtés, je demeure en équilibre, parce que je ne m'attache
plus à rien, je ne m'appuie que sur moi.

Quand je m'élevois avec tant d'ardeur contre l'opinion,
je portois encore son joug sans que je m'en aperçusse. On
veut être estimé des gens qu'on estime, et, tant que je pus
juger avantageusement des hommes ou du moins de quelques
hommes, les jugemens qu'ils portoient de moi ne pouvoient
m'être indifférens. Je voyois que souvent les jugemens du
public sont équitables, mais je ne voyois pas que cette équité
même étoit l'effet du hasard, que les règles sur lesquelles les
hommes fondent leurs opinions ne sont tirées que de leurs
passions ou de leurs préjugés, qui en sont l'ouvrage ; et que,
lors même qu'ils jugent bien, souvent encore ces bons jugemens naissent d'un mauvais principe, comme lorsqu'ils
feignent d'honorer en quelque succès le mérite d'un homme,
non par esprit de justice, mais pour se donner un air impartial,
en calomniant tout à leur aise le même homme sur d'autres
points.

Mais quand, après de si longues et vaines recherches, je
les vis tous rester sans exception dans le plus inique et
absurde système que l'esprit infernal pût inventer ; quand
je vis qu'à mon égard la raison étoit bannie de toutes les
têtes et l'équité de tous les cœurs ; quand je vis une génération frénétique se livrer toute entière à l'aveugle fureur de
ses guides contre un infortuné qui jamais ne fit, ne voulut,
ne rendit de mal à personne ; quand, après avoir vainement
cherché un homme, il fallut éteindre enfin ma lanterne et
m'écrier : Il n'y en a plus ; alors je commençai à me voir
seul sur la terre, et je compris que mes contemporains
n'étoient, par rapport à moi, que des êtres mécaniques, qui

n'agissoient que par impulsion, et dont je ne pouvois calculer l'action que par les lois du mouvement. Quelque intention, quelque passion que j'eusse pu supposer dans leurs âmes, elles n'auroient jamais expliqué leur conduite à mon égard d'une façon que je pusse entendre. C'est ainsi que leurs dispositions intérieures cessèrent d'être quelque chose pour moi. Je ne vis plus en eux que des masses différemment mues, dépourvues à mon égard de toute moralité.

Dans tous les maux qui nous arrivent, nous regardons plus à l'intention qu'à l'effet. Une tuile qui tombe d'un toit peut nous blesser davantage, mais ne nous navre pas tant qu'une pierre lancée à dessein par une main malveillante. Le coup porte à faux quelquefois, mais l'intention ne manque jamais son atteinte. La douleur matérielle est ce qu'on sent le moins dans les atteintes de la fortune ; et, quand les infortunés ne savent à qui s'en prendre de leurs malheurs, ils s'en prennent à la destinée qu'ils personnifient, et à laquelle ils prêtent des yeux et une intelligence pour les tourmenter à dessein. C'est ainsi qu'un joueur, dépité par ses pertes, se met en fureur sans savoir contre qui. Il imagine un sort qui s'acharne à dessein sur lui pour le tourmenter, et, trouvant un aliment à sa colère, il s'anime et s'enflamme contre l'ennemi qu'il s'est créé. L'homme sage, qui ne voit dans tous les malheurs qui lui arrivent que les coups de l'aveugle nécessité, n'a point ces agitations insensées ; il crie dans sa douleur, mais sans emportement, sans colère, il ne sent du mal dont il est la proie que l'atteinte matérielle ; et les coups qu'il reçoit ont beau blesser sa personne, pas un n'arrive jusqu'à son cœur.

C'est beaucoup que d'en être venu là, mais ce n'est pas tout. Si l'on s'arrête, c'est bien avoir coupé le mal, mais c'est avoir laissé la racine. Car cette racine n'est pas dans les êtres qui nous sont étrangers, elle est en nous-mêmes, et c'est là qu'il faut travailler pour l'arracher tout à fait. Voilà ce que je sentis parfaitement dès que je commençai de revenir à moi. Ma raison ne me montrant qu'absurdités dans toutes les explications que je cherchois à donner à ce qui m'arrive, je compris que les causes, les instrumens, les moyens de tout cela, m'étant inconnus et inexplicables, devoient être nuls pour moi ; que je devois regarder tous les détails de ma destinée comme autant d'actes d'une pure fatalité, où je ne devois supposer ni direction, ni intention, ni cause morale ; qu'il falloit m'y soumettre sans raisonner et sans regimber, parce que cela étoit inutile ; que tout ce que j'avois à faire encore sur la terre étant de m'y regarder comme un être purement passif, je ne devois point user à résister inutilement à ma destinée la force qui me restoit pour la supporter. Voilà ce que je me disois ; ma raison, mon cœur, y acquiesçoient, et néanmoins je sentois ce cœur murmurer encore. D'où venoit ce murmure ? Je le cherchai, je le trouvai ; il venoit de l'amour-propre, qui, après s'être indigné contre les hommes, se soulevoit encore contre la raison.

Cette découverte n'étoit pas si facile à faire qu'on pourroit croire, car un innocent persécuté prend longtems pour un pur amour de la justice l'orgueil de son petit individu. Mais aussi la véritable source, une fois bien connue, est facile à tarir, ou du moins à détourner. L'estime de soi-même est le plus grand mobile des âmes fières ; l'amour-propre, fertile en illusions, se déguise et se fait prendre pour cette estime ; mais quand la fraude enfin se découvre et que l'amour-propre ne peut plus se cacher, dès lors il n'est plus à craindre, et, quoiqu'on l'étouffe avec peine, on le subjugue au moins aisément.

Je n'eus jamais beaucoup de pente à l'amour-propre. Mais cette passion factice s'étoit exaltée en moi dans le monde, et surtout quand je fus auteur ; j'en avois peut-être encore moins qu'un autre, mais j'en avois prodigieusement. Les terribles leçons que j'ai reçues l'ont bientôt renfermé dans ses premières bornes ; il commença par se révolter contre l'injustice, mais il a fini par la dédaigner ; en se repliant sur mon âme, en coupant les relations extérieures qui le rendent exigeant, en renonçant aux comparaisons, aux préférences, il s'est contenté que je fusse bon pour moi ; alors, redevenant amour de moi-même, il est rentré dans l'ordre de la nature, et m'a délivré du joug de l'opinion.

Dès lors j'ai retrouvé la paix de l'âme et presque la félicité.
Car, dans quelque situation qu'on se trouve, ce n'est que
par lui qu'on est constamment malheureux. Quand il se
tait et que la raison parle, elle nous console enfin de tous
les maux qu'il n'a pas dépendu de nous d'éviter. Elle les
anéantit même autant qu'ils n'agissent pas immédiatement
sur nous ; car on est sûr alors d'éviter leurs plus poignantes
atteintes en cessant de s'en occuper. Ils ne sont rien pour
celui qui n'y pense pas. Les offenses, les vengeances, les
passe-droits, les outrages, les injustices, ne sont rien pour
celui qui ne voit dans les maux qu'il endure que le mal même
et non pas l'intention ; pour celui dont la place ne dépend
pas dans sa propre estime de celle qu'il plaît aux autres de
lui accorder. De quelque façon que les hommes veuillent
me voir, ils ne sauroient changer mon être, et, malgré leur
puissance et malgré toutes leurs sourdes intrigues, je con-
tinuerai, quoi qu'ils fassent, d'être en dépit d'eux ce que je
suis. Il est vrai que leurs dispositions à mon égard influent
sur ma situation réelle. La barrière qu'ils ont mise entre
eux et moi m'ôte toute ressource de subsistance et d'assistance dans ma vieillesse et mes besoins. Elle me rend l'argent
même inutile, puisqu'il ne peut me procurer les services qui
me sont nécessaires ; il n'y a plus ni commerce, ni secours
réciproque, ni correspondance entre eux et moi. Seul au
milieu d'eux, je n'ai que moi seul pour ressource, et cette
ressource est bien foible à mon âge et dans l'état où je suis.
Ces maux sont grands, mais ils ont perdu sur moi toute leur
force, depuis que j'ai su les supporter sans m'en irriter. Les
points où le vrai besoin se fait sentir sont toujours rares.
La prévoyance et l'imagination les multiplient, et c'est par
cette continuité de sentiment qu'on s'inquiète et qu'on se
rend malheureux. Pour moi, j'ai beau savoir que je souffrirai
demain, il me suffit de ne pas souffrir aujourd'hui pour être
tranquille. Je ne m'affecte point du mal que je prévois,
mais seulement de celui que je sens, et cela le réduit à très
peu de chose. Seul, malade et délaissé dans mon lit, j'y
peux mourir d'indigence, de froid et de faim, sans que
personne s'en mette en peine. Mais qu'importe, si je ne

m'en mets pas en peine moi-même, et si je m'affecte aussi peu que les autres de mon destin, quel qu'il soit ? N'est-ce rien, surtout à mon âge, que d'avoir appris à voir la vie et la mort, la maladie et la santé, la richesse et la misère, la gloire et la diffamation, avec la même indifférence ? Tous les autres vieillards s'inquiètent de tout ; moi je ne m'inquiète de rien ; quoi qu'il puisse arriver, tout m'est indifférent, et cette indifférence n'est pas l'ouvrage de ma sagesse, elle est celui de mes ennemis, et devient une compensation des maux qu'ils me font. En me rendant insensible à l'adversité, ils m'ont fait plus de bien que s'ils m'eussent épargné ses atteintes. En ne l'éprouvant pas, je pouvois toujours la craindre, au lieu qu'en la subjuguant je ne la crains plus.

Cette disposition me livre, au milieu des traverses de ma vie, à l'incurie de mon naturel, presque aussi pleinement que si je vivois dans la plus complète prospérité. Hors les courts momens où je suis rappelé, par la présence des objets, aux plus douloureuses inquiétudes, tout le reste du tems, livré par mes penchans aux affections qui m'attirent, mon cœur se nourrit encore des sentimens pour lesquels il étoit né, et j'en jouis avec les êtres imaginaires qui les produisent et qui les partagent, comme si ces êtres existoient réellement. Ils existent pour moi qui les ai créés, et je ne crains ni qu'ils me trahissent ni qu'ils m'abandonnent. Ils dureront autant que mes malheurs mêmes, et suffiront pour me les faire oublier.

Tout me ramène à la vie heureuse et douce pour laquelle j'étois né : je passe les trois quarts de ma vie ou occupé d'objets instructifs et même agréables, auxquels je livre avec délices mon esprit et mes sens, ou avec les enfans de mes fantaisies que j'ai créés selon mon cœur, et dont le commerce en nourrit les sentimens, ou avec moi seul, content de moi-même, et déjà plein du bonheur que je sens m'être dû. En tout ceci l'amour de moi-même fait toute l'œuvre, l'amour-propre n'y entre pour rien. Il n'en est pas ainsi des tristes momens que je passe encore au milieu des hommes, jouet de leurs caresses traîtresses, de leurs complimens ampoulés et dérisoires, de leur mielleuse malignité. De quelque façon que je m'y sois pu prendre, l'amour-propre alors fait son jeu. La haine et l'animosité, que je vois dans leurs cœurs à travers cette grossière enveloppe, déchirent le mien de douleur, et l'idée d'être ainsi sottement pris pour dupe ajoute encore à cette douleur un dépit très puéril, fruit d'un sot amour-propre dont je sens toute la bêtise, mais que je ne puis subjuguer. Les efforts que j'ai faits pour m'aguerrir à ces regards insultans et moqueurs sont incroyables. Cent fois j'ai passé par les promenades publiques et par les lieux les plus fréquentés, dans l'unique dessein de m'exercer à ces cruelles luttes. Non seulement je n'y ai pu parvenir, mais je n'ai même rien avancé, et tous mes pénibles mais vains efforts m'ont laissé tout aussi facile à troubler, à navrer et à indigner qu'auparavant.

Dominé par mes sens, quoi que je puisse faire, je n'ai jamais su résister à leurs impressions, et, tant que l'objet agit sur eux, mon cœur ne cesse d'en être affecté ; mais ces affections passagères ne durent qu'autant que la sensation qui les cause. La présence de l'homme haineux m'affecte violemment ; mais sitôt qu'il disparoît, l'impression cesse ; à l'instant que je ne le vois plus, je n'y pense plus. J'ai beau savoir qu'il va s'occuper de moi, je ne saurois m'occuper de lui. Le mal que je ne sens point actuellement ne m'affecte en aucune sorte ; le persécuteur que je ne vois point est nul pour moi. Je sens l'avantage que cette position donne à ceux qui disposent de ma destinée. Qu'ils en disposent donc tout à leur aise. J'aime encore mieux qu'ils me tourmentent sans résistance que d'être forcé de penser à eux pour me garantir de leurs coups.

Cette action de mes sens sur mon cœur fait le seul tourment de ma vie. Les lieux où je ne vois personne, je ne pense plus à ma destinée. Je ne la sens plus, je ne souffre plus. Je suis heureux et content sans diversion, sans obstacle. Mais j'échappe rarement à quelque atteinte sensible ; et lorsque j'y pense le moins, un geste, un regard sinistre que j'aperçois, un mot envenimé que j'entens, un malveillant que je rencontre, suffit pour me bouleverser.

Tout ce que je puis faire en pareil cas est d'oublier bien vite
et de fuir.   Le trouble de mon cœur disparoît avec l'objet
qui l'a causé, et je rentre dans le calme aussitôt que je suis
seul.   Ou si quelque chose m'inquiète, c'est la crainte de
rencontrer sur mon passage quelque nouveau sujet de
douleur.   C'est là ma seule peine ; mais elle suffit pour
altérer mon bonheur.   Je loge au milieu de Paris.   En
sortant de chez moi je soupire après la campagne et la
solitude ; mais il faut l'aller chercher si loin, qu'avant de
pouvoir respirer à mon aise je trouve en mon chemin mille
objets qui me serrent le cœur, et la moitié de la journée se
passe en angoisses avant que j'aie atteint l'asile que je vais
chercher.   Heureux du moins quand on me laisse achever
ma route.   Le moment où j'échappe au cortège des méchans
est délicieux, et sitôt que je me vois sous les arbres, au milieu
de la verdure, je crois me voir dans le paradis terrestre, et
je goûte un plaisir interne aussi vif que si j'étois le plus
heureux des mortels.

Je me souviens parfaitement que, durant mes courtes
prospérités, ces mêmes promenades solitaires, qui me sont
aujourd'hui si délicieuses, m'étoient insipides et ennuyeuses.
Quand j'étois chez quelqu'un à la campagne, le besoin de
faire de l'exercice et de respirer le grand air me faisoit
souvent sortir seul, et, m'échappant comme un voleur, je
m'allois promener dans le parc ou dans la campagne.   Mais,
loin d'y trouver le calme heureux que j'y goûte aujourd'hui,
j'y portois l'agitation des vaines idées qui m'avoient occupé
dans le salon, le souvenir de la compagnie que j'y avois
laissée m'y suivoit.   Dans la solitude, les vapeurs de l'amour-
propre et le tumulte du monde ternissoient à mes yeux la
fraîcheur des bosquets, et troubloient la paix de la retraite.
J'avois beau fuir au fond des bois, une foule importune m'y
suivoit partout et voiloit pour moi toute la nature.   Ce n'est
qu'après m'être détaché des passions sociales et de leur
triste cortège que je l'ai retrouvée avec tous ses charmes.

Convaincu de l'impossibilité de contenir ces premiers
mouvemens involontaires, j'ai cessé tous mes efforts pour
cela.   Je laisse, à chaque atteinte, mon sang s'allumer, la

colère et l'indignation s'emparer de mes sens ; je cède à la nature cette première explosion, que toutes mes forces ne pourroient arrêter ni suspendre. Je tâche seulement d'en arrêter les suites avant qu'elle ait produit aucun effet. Les yeux étincelans, le feu du visage, le tremblement des membres, les suffocantes palpitations, tout cela tient au seul physique, et le raisonnement n'y peut rien. Mais, après avoir laissé faire au naturel sa première explosion, l'on peut redevenir son propre maître en reprenant peu à peu ses sens : c'est ce que j'ai tâché de faire longtems sans succès, mais enfin plus heureusement ; et, cessant d'employer ma force en vaine résistance, j'attens le moment de vaincre en laissant agir ma raison, car elle ne me parle que quand elle peut se faire écouter. Eh ! que dis-je, hélas ! ma raison ? J'aurois grand tort encore de lui faire l'honneur du triomphe, car elle n'y a guères de part : tout vient également d'un tempérament versatile qu'un vent impétueux agite, mais qui rentre dans le calme à l'instant que le vent ne souffle plus ; c'est mon naturel ardent qui m'agite, c'est mon naturel indolent qui m'apaise. Je cède à toutes les impulsions présentes, tout choc me donne un mouvement vif et court ; sitôt qu'il n'y a plus de choc, le mouvement cesse, rien de communiqué ne peut se prolonger en moi. Tous les événemens de la fortune, toutes les machines des hommes ont peu de prise sur un homme ainsi constitué. Pour m'affecter de peines durables, il faudroit que l'impression se renouvelât à chaque instant. Car les intervalles, quelque courts qu'ils soient, suffisent pour me rendre à moi-même. Je suis ce qu'il plaît aux hommes tant qu'ils peuvent agir sur mes sens, mais, au premier instant de relâche, je redeviens ce que la nature a voulu ; c'est là, quoi qu'on puisse faire, mon état le plus constant, et celui par lequel, en dépit de la destinée, je goûte un bonheur pour lequel je me sens constitué. J'ai décrit cet état dans une de mes rêveries ; il me convient si bien, que je ne désire autre chose que sa durée, et ne crains que de le voir troublé. Le mal que m'ont fait les hommes ne me touche en aucune sorte ; la crainte seule de celui qu'ils peuvent me faire encore est capable de m'agiter ; mais,

I

certain qu'ils n'ont plus de nouvelle prise par laquelle ils puissent m'affecter d'un sentiment permanent, je me ris de toutes leurs trames, et je jouis de moi-même en dépit d'eux.

NEUVIÈME PROMENADE

LE bonheur est un état permanent qui ne semble pas fait ici-bas pour l'homme. Tout est sur la terre dans un flux continuel qui ne permet à rien d'y prendre une forme constante. Tout change autour de nous. Nous changeons nous-mêmes, et nul ne peut s'assurer qu'il aimera demain ce qu'il aime aujourd'hui. Ainsi tous nos projets de félicité pour cette vie sont des chimères. Profitons du contentement d'esprit quand il vient, gardons-nous de l'éloigner par notre faute, mais ne faisons pas des projets pour l'enchaîner, car ces projets-là sont de pures folies. J'ai peu vu d'hommes heureux, peut-être point ; mais j'ai souvent vu des cœurs contens, et, de tous les objets qui m'ont frappé, c'est celui qui m'a le plus contenté moi-même. Je crois que c'est une suite naturelle du pouvoir des sensations sur mes sentimens internes. Le bonheur n'a point d'enseigne extérieure : pour le connoître, il faudroit lire dans le cœur de l'homme heureux ; mais le contentement se lit dans les yeux, dans le maintien, dans l'accent, dans la démarche, et semble se communiquer à celui qui l'aperçoit. Est-il une jouissance plus douce que de voir un peuple entier se livrer à la joie un jour de fête, et tous les cœurs s'épanouir aux rayons expansifs du plaisir qui passe rapidement, mais vivement, à travers les nuages de la vie ? . . . .

Il y a trois jours que M. P. vint, avec un empressement extraordinaire, me montrer l'*Éloge de Mme Geoffrin* par M. d'Alembert.[1] La lecture fut précédée de longs et grands éclats de rire sur le ridicule néologisme de cette pièce et sur les badins jeux de mots dont il la disoit remplie. Il commença de lire en riant toujours. Je l'écoutois d'un sérieux qui le calma, et, voyant que je ne l'imitois point, il cessa

enfin de rire. L'article le plus long et le plus recherché de
cette pièce rouloit sur le plaisir que prenoit Mme Geoffrin à
voir les enfans et à les faire causer. L'Auteur tiroit avec
raison de cette disposition une preuve de bon naturel. Mais
il ne s'arrêtoit pas là, et il accusoit décidément de mauvais
naturel et de méchanceté tous ceux qui n'avoient pas le
même goût, au point de dire que, si l'on interrogeoit là-dessus
ceux qu'on mène au gibet ou à la roue, tous conviendroient
qu'ils n'avoient pas aimé les enfans. Ces assertions faisoient
un effet singulier dans la place où elles étoient. Supposant
tout cela vrai, étoit-ce là l'occasion de le dire ? et falloit-il
souiller l'éloge d'une femme estimable des images de supplice
et de malfaiteurs ? Je compris aisément le motif de cette
affectation vilaine ; et quand M. P. eut fini de lire, en relevant
ce qui m'avoit paru bien dans l'éloge, j'ajoutai que l'Auteur,
en l'écrivant, avoit dans le cœur moins d'amitié que de haine.

Le lendemain, le tems étant assez beau, quoique froid,
j'allai faire une course jusqu'à l'École militaire, comptant
d'y trouver des mousses en pleine fleur : en allant je rêvois
sur la visite de la veille et sur l'écrit de M. d'Alembert, où
je pensois bien que le placage épisodique n'avoit pas été mis
sans dessein, et la seule affectation de m'apporter cette
brochure, à moi à qui l'on cache tout, m'apprenoit assez quel
en étoit l'objet. J'avois mis mes enfans aux Enfans-
Trouvés.[1] C'en étoit assez pour m'avoir travesti en père
dénaturé, et de là, en étendant et caressant cette idée, on en
avoit peu à peu tiré la conséquence évidente que je haïssois
les enfans ; en suivant par la pensée la chaîne de ces grada-
tions, j'admirois avec quel art l'industrie humaine sait
changer les choses du blanc au noir. Car je ne crois pas que
jamais homme ait plus aimé que moi à voir de petits bambins
folâtrer et jouer ensemble ; et souvent, dans la rue et aux
promenades, je m'arrête à regarder leur espièglerie et leurs
petits jeux avec un intérêt que je ne vois partager à personne. Le jour même où vint M. P., une heure avant sa
visite, j'avois eu celle des deux petits du Soussoi, les plus
jeunes enfans de mon hôte, dont l'aîné peut avoir sept ans.
Ils étoient venus m'embrasser de si bon cœur, et je leur avois

rendu si tendrement leurs caresses, que, malgré la disparité des âges, ils avoient paru se plaire avec moi sincèrement ; et, pour moi, j'étois transporté d'aise de voir que ma vieille figure ne les avoit pas rebutés ; le cadet même paroissoit venir à moi si volontiers, que, plus enfant qu'eux, je me sentois attacher à lui déjà par préférence, et je le vis partir avec autant de regret que s'il m'eût appartenu.

Je comprens que le reproche d'avoir mis mes enfans aux Enfans-Trouvés a facilement dégénéré, avec un peu de tournure, en celui d'être un père dénaturé et de haïr les enfans. Cependant il est sûr que c'est la crainte d'une destinée pour eux mille fois pire, et presque inévitable par toute autre voie, qui m'a le plus déterminé dans cette démarche. Plus indifférent sur ce qu'ils deviendroient, et hors d'état de les élever moi-même, il auroit fallu, dans ma situation, les laisser élever par leur mère, qui les auroit gâtés, et par sa famille, qui en auroit fait des monstres. Je frémis encore d'y penser. Ce que Mahomet fit de Séide n'est rien auprès de ce qu'on auroit fait d'eux à mon égard, et les pièges qu'on m'a tendus là-dessus dans la suite me confirment assez que le projet en avait été formé. A la vérité j'étois bien éloigné de prévoir alors ces trames atroces ; mais je savois que l'éducation pour eux la moins périlleuse étoit celle des Enfans-Trouvés, et je les y ai mis. Je le ferois encore, avec bien moins de doute aussi, si la chose étoit à faire, et je sais bien que nul père n'est plus tendre que je l'aurois été pour eux, pour peu que l'habitude eût aidé la nature.

Si j'ai fait quelque progrès dans la connoissance du cœur humain, c'est le plaisir que j'avois à voir et observer les enfans qui m'a valu cette connoissance. Ce même plaisir dans ma jeunesse y a mis une espèce d'obstacle, car je jouois avec les enfans si gaiement et de si bon cœur, que je ne songeois guères à les étudier. Mais quand en vieillissant j'ai vu que ma figure caduque les inquiétoit, je me suis abstenu de les importuner : j'ai mieux aimé me priver d'un plaisir que de troubler leur joie ; et, content alors de me satisfaire en regardant leurs jeux et tous leurs petits manèges, j'ai trouvé le dédommagement de mon sacrifice dans les lumières que ces observations m'ont fait acquérir sur les premiers et vrais mouvemens de la nature, auxquels tous nos savans ne connoissent rien. J'ai consigné dans mes écrits la preuve que je m'étois occupé de cette recherche trop soigneusement pour ne pas l'avoir faite avec plaisir ; et ce seroit assurément la chose du monde la plus incroyable que l'*Héloïse* et l'*Émile* fussent l'ouvrage d'un homme qui n'aimoit pas les enfans.

Je n'eus jamais ni présence d'esprit, ni facilité de parler ; mais, depuis mes malheurs, ma langue et ma tête se sont de plus en plus embarrassées. L'idée et le mot propre m'échappent également, et rien n'exige un meilleur discernement et un choix d'expressions plus justes que les propos qu'on tient aux enfans. Ce qui augmente encore en moi cet embarras est l'attention des écoutans, les interprétations et le poids qu'ils donnent à tout ce qui part d'un homme qui, ayant écrit expressément pour les enfans, est supposé ne devoir leur parler que par oracles. Cette gêne extrême, et l'inaptitude que je me sens, me trouble, me déconcerte, et je serois bien plus à mon aise devant un Monarque d'Asie que devant un bambin qu'il faut faire babiller.

Un autre inconvénient me tient maintenant plus éloigné d'eux, et depuis mes malheurs, je les vois toujours avec le même plaisir, mais je n'ai plus avec eux la même familiarité. Les enfans n'aiment pas la vieillesse. L'aspect de la nature défaillante est hideux à leurs yeux. Leur répugnance que j'aperçois me navre, et j'aime mieux m'abstenir de les caresser que de leur donner de la gêne ou du dégoût. Ce motif, qui n'agit que sur des âmes vraiment aimantes, est nul pour tous nos docteurs et doctoresses. Mme Geoffrin s'embarrassoit fort peu que les enfans eussent du plaisir avec elle, pourvu qu'elle en eût avec eux. Mais, pour moi, ce plaisir est pis que nul ; il est négatif quand il n'est pas partagé ; et je ne suis plus dans la situation ni dans l'âge où je voyois le petit cœur d'un enfant s'épanouir avec le mien. Si cela pouvoit m'arriver encore, ce plaisir, devenu plus rare, n'en seroit pour moi que plus vif ; je l'éprouvois bien l'autre matin par celui que je prenois à caresser les petits

du Soussoi, non seulement parce que la bonne qui les con-
duisoit ne m'en imposoit pas beaucoup, et que je sentois
moins le besoin de m'écouter devant elle, mais encore parce
que l'air jovial avec lequel ils m'abordèrent ne les quitta
point, et qu'ils ne parurent ni se déplaire ni s'ennuyer
avec moi.

Oh! si j'avois encore quelques momens de pures caresses
qui vinssent du cœur, ne fût-ce que d'un enfant encore en
jaquette, si je pouvois voir encore dans quelques yeux la
joie et le contentement d'être avec moi, de combien de maux
et de peines ne me dédommageroient pas ces courts mais
doux épanchemens de mon cœur! Ah! je ne serois pas
obligé de chercher parmi les animaux le regard de la bienveillance, qui m'est désormais refusé parmi les humains.
J'en puis juger sur bien peu d'exemples, mais toujours chers
à mon souvenir. En voici un qu'en tout autre état j'aurois
oublié presque, et dont l'impression qu'il a faite sur moi
peint bien toute ma misère.

Il y a deux ans, que, m'étant allé promener du côté de la
Nouvelle-France, je poussai plus loin; puis, tirant à gauche
et voulant tourner autour de Montmartre, je traversai le
village de Clignancourt. Je marchois distrait et rêvant sans
regarder autour de moi, quand tout à coup je me sentis saisir
les genoux. Je regarde et je vois un petit enfant de cinq
à six ans qui serroit mes genoux de toute sa force, en me
regardant d'un air si familier et si caressant, que mes entrailles s'émurent. Je me disois: C'est ainsi que j'aurois
été traité des miens. Je pris l'enfant dans mes bras, je le
baisai plusieurs fois dans une espèce de transport, et puis
je continuai mon chemin. Je sentois en marchant qu'il me
manquoit quelque chose. Un besoin naissant me ramenoit
sur mes pas. Je me reprochois d'avoir quitté si brusquement cet enfant; je croyois voir dans son action, sans cause
apparente, une sorte d'inspiration qu'il ne falloit pas
dédaigner. Enfin, cédant à la tentation, je reviens sur mes
pas: je cours à l'enfant, je l'embrasse de nouveau, et je lui
donne de quoi acheter des petits pains de Nanterre, dont le
marchand passoit là par hasard, et je commençai à le faire

jaser. Je lui demandai qui étoit son père ; il me le montra qui relioit des tonneaux ; j'étois prêt à quitter l'enfant pour aller lui parler quand je vis que j'avois été prévenu par un homme de mauvaise mine, qui me parut être une de ces mouches qu'on tient sans cesse à mes trousses. Tandis que cet homme lui parloit à l'oreille, je vis les regards du tonnelier se fixer attentivement sur moi d'un air qui n'avoit rien d'amical. Cet objet me resserra le cœur à l'instant, et je quittai le père et l'enfant avec plus de promptitude que je n'en avois mis à revenir sur mes pas, mais dans un trouble moins agréable qui changea toutes mes dispositions. Je les ai pourtant senties renaître souvent depuis lors ; je suis repassé plusieurs fois par Clignancourt dans l'espérance d'y revoir cet enfant ; mais je n'ai plus revu ni lui ni le père, et il ne m'est plus resté de cette rencontre qu'un souvenir assez vif, mêlé toujours de douceur et de tristesse, comme toutes les émotions qui pénétrent [1] encore quelquefois jusqu'à mon cœur.

Il y a compensation à tout : si mes plaisirs sont rares et courts, je les goûte aussi plus vivement quand ils viennent que s'ils m'étoient plus familiers ; je les rumine, pour ainsi dire, par de fréquens souvenirs, et, quelque rares qu'ils soient, s'ils étoient purs et sans mélange, je serois plus heureux peut-être que dans ma prospérité. Dans l'extrême misère on se trouve riche de peu. Un gueux qui trouve un écu en est plus affecté que ne le seroit un riche en trouvant une bourse d'or. On riroit si l'on voyoit dans mon âme l'impression qu'y font les moindres plaisirs de cette espèce que je puis dérober à la vigilance de mes persécuteurs. Un des plus doux s'offrit il y a quatre ou cinq ans, que je ne me rappelle jamais sans me sentir ravi d'aise d'en avoir si bien profité.

Un dimanche nous étions allés, ma femme et moi, dîner à la porte Maillot. Après le dîné nous traversâmes le bois de Boulogne jusqu'à la Muette. Là nous nous assîmes sur l'herbe à l'ombre en attendant que le soleil fût baissé, pour nous en retourner ensuite tout doucement par Passy. Une vingtaine de petites filles, conduites par une manière de religieuse, vinrent, les unes s'asseoir, les autres folâtrer assez près de nous. Durant leurs jeux, vint à passer un Oublieur avec son tambour et son tourniquet, qui cherchoit pratique. Je vis que les petites filles convoitoient fort les oublies, et deux ou trois d'entre elles, qui apparemment possédoient quelques liards, demandèrent la permission de jouer. Tandis que la gouvernante hésitoit et disputoit, j'appelai l'Oublieur et je lui dis : Faites tirer toutes ces Demoiselles chacune à son tour, et je vous payerai le tout. Ce mot répandit dans toute la troupe une joie qui seule eût plus que payé ma bourse, quand je l'aurois toute employée à cela.

Comme je vis qu'elles s'empressoient avec un peu de confusion, avec l'agrément de la gouvernante je les fis ranger toutes d'un côté, et puis passer de l'autre côté l'une après l'autre, à mesure qu'elles avoient tiré. Quoiqu'il n'y eût point de billet blanc, et qu'il revînt au moins une oublie à chacune de celles qui n'auroient rien, qu'aucune d'elles ne pouvoit donc être absolument mécontente, afin de rendre la fête encore plus gaie, je dis en secret à l'Oublieur d'user de son adresse ordinaire en sens contraire, en faisant tomber autant de bons lots qu'il pourroit, et que je lui en tiendrois compte. Au moyen de cette prévoyance, il y eut près d'une centaine d'oublies distribuées, quoique les jeunes filles ne tirassent chacune qu'une seule fois ; car là-dessus je fus inexorable, ne voulant ni favoriser des abus, ni marquer des préférences, qui produiroient des mécontentemens. Ma femme insinua à celles qui avoient de bons lots d'en faire part à leurs camarades, au moyen de quoi le partage devint presque égal, et la joie plus générale.

Je priai la religieuse de tirer à son tour, craignant fort qu'elle ne rejetât dédaigneusement mon offre ; elle l'accepta de bonne grâce, tira comme les pensionnaires, et prit sans façon ce qui lui revint. Je lui en sus un gré infini, et je trouvai à cela une sorte de politesse qui me plut fort, et qui vaut bien, je crois, celle des simagrées. Pendant toute cette opération, il y eut des disputes qu'on porta devant mon tribunal ; et ces petites filles, venant plaider tour à tour leur cause, me donnèrent occasion de remarquer que, quoiqu'il n'y en eût aucune de jolie, la gentillesse de quelques-unes faisoit oublier leur laideur.

Nous nous quittâmes enfin très contens les uns des autres, et cet après-midi fut un de ceux de ma vie dont je me rappelle le souvenir avec le plus de satisfaction. La fête, au reste, ne fut pas ruineuse. Pour trente sols qu'il m'en coûta tout au plus, il y eut pour plus de cent écus de contentement ; tant il est vrai que le plaisir ne se mesure pas sur la dépense ; et que la joie est plus amie des liards que des louis. Je suis revenu plusieurs fois à la même place, à la même heure, espérant d'y rencontrer encore la petite troupe ; mais cela n'est plus arrivé.

Ceci me rappelle un autre amusement à peu près de même espèce, dont le souvenir m'est resté de beaucoup plus loin. C'étoit dans le malheureux tems où, faufilé parmi les riches et les gens de lettres, j'étois quelquefois réduit à partager leurs tristes plaisirs. J'étois à la Chevrette au tems de la fête du maître de la maison ; toute sa famille s'étoit réunie pour la célébrer, et tout l'éclat des plaisirs bruyans fut mis en œuvre pour cet effet. Spectacles, festins, feux d'artifice, rien ne fut épargné. L'on n'avoit pas le tems de prendre haleine, et l'on s'étourdissoit au lieu de s'amuser. Après le dîné on alla prendre l'air dans l'avenue, où se tenoit une espèce de foire. On dansoit ; les Messieurs daignèrent danser avec les paysannes, mais les Dames gardèrent leur dignité. On vendoit là des pains d'épice. Un jeune homme de la compagnie s'avisa d'en acheter, pour les lancer l'un après l'autre au milieu de la foule, et l'on prit tant de plaisir à voir tous ces manans se précipiter, se battre, se renverser pour en avoir, que tout le monde voulut se donner le même plaisir. Et pains d'épice de voler à droite et à gauche, et filles et garçons de courir, de s'entasser et s'estropier : cela paroissoit charmant à tout le monde. Je fis comme les autres par mauvaise honte, quoique en dedans je ne m'amusasse pas autant qu'eux. Mais bientôt ennuyé de vider ma bourse pour faire écraser les gens, je laissai là la bonne compagnie, et je fus me promener seul dans la foire. La variété des objets m'amusa longtems. J'aperçus entre autres

cinq ou six Savoyards autour d'une petite fille qui avoit
encore sur son éventaire [1] une douzaine de chétives pommes,
dont elle auroit bien voulu se débarrasser. Les Savoyards,
de leur côté, auroient bien voulu l'en débarrasser, mais ils
n'avoient que deux ou trois liards à eux tous, et ce n'étoit
pas de quoi faire une grande brèche aux pommes. Cet
éventaire [1] étoit pour eux le jardin des Hespérides, et la
petite fille étoit le dragon qui les gardoit. Cette comédie
m'amusa longtems ; j'en fis enfin le dénoûment en payant les
pommes à la petite fille, et les lui faisant distribuer aux petits
garçons. J'eus alors un des plus doux spectacles qui puissent flatter un cœur d'homme, celui de voir la joie unie avec
l'innocence de l'âge se répandre tout autour de moi. Car
les spectateurs mêmes, en la voyant, la partagèrent ; et
moi, qui partageois à si bon marché cette joie, j'avois de
plus celle de sentir qu'elle étoit mon ouvrage.

En comparant cet amusement avec ceux que je venois de
quitter, je sentois avec satisfaction la différence qu'il y a
des goûts sains et des plaisirs naturels à ceux que fait naître
l'opulence, et qui ne sont guères que des plaisirs de moquerie,
et des goûts exclusifs engendrés par le mépris. Car quelle
sorte de plaisir pouvoit-on prendre à voir des troupeaux
d'hommes avilis par la misère s'entasser, s'étouffer, s'estropier
brutalement, pour s'arracher avidement quelques morceaux
de pains d'épice foulés aux pieds et couverts de boue ?

De mon côté, quand j'ai bien réfléchi sur l'espèce de
volupté que je goûtois dans ces sortes d'occasions, j'ai trouvé
qu'elle consistoit moins dans un sentiment de bienfaisance
que dans le plaisir de voir des visages contens. Cet aspect
a pour moi un charme qui, bien qu'il pénètre jusqu'à mon
cœur, semble être uniquement de sensation. Si je ne vois
la satisfaction que je cause, quand même j'en serois sûr, je
n'en jouirois qu'à demi. C'est même pour moi un plaisir
désintéressé, qui ne dépend pas de la part que j'y puis avoir.
Car, dans les fêtes du peuple, celui de voir des visages gais
m'a toujours vivement attiré. Cette attente a pourtant été
souvent frustrée en France, où cette nation, qui se prétend
si gaie, montre peu cette gaieté dans ses jeux. Souvent

j'allois jadis aux guinguettes, pour y voir danser le menu peuple ; mais ses danses étoient si maussades, son maintien si dolent, si gauche, que j'en sortois plus contristé que réjoui. Mais à Genève et en Suisse, où le rire ne s'évapore pas sans cesse en folles malignités, tout respire le contentement et la gaieté dans les fêtes. La misère n'y porte point son hideux aspect. Le faste n'y montre pas non plus son insolence. Le bien-être, la fraternité, la concorde, y disposent les cœurs à s'épanouir, et souvent, dans les transports d'une innocente joie, les inconnus s'accostent, s'embrassent, et s'invitent à jouir de concert des plaisirs du jour. Pour jouir moi-même de ces aimables fêtes, je n'ai pas besoin d'en être. Il me suffit de les voir ; et en les voyant, je les partage ; et, parmi tant de visages gais, je suis bien sûr qu'il n'y a pas un cœur plus gai que le mien.

Quoique ce ne soit là qu'un plaisir de sensation, il a certainement une cause morale, et la preuve en est que ce même aspect, au lieu de me flatter, de me plaire, peut me déchirer de douleur et d'indignation, quand je sais que ces signes de plaisir et de joie sur les visages des méchans ne sont que des marques que leur malignité est satisfaite. La joie innocente est la seule dont les signes flattent mon cœur. Ceux de la cruelle et moqueuse joie le navrent et l'affligent, quoiqu'elle n'ait nul rapport à moi. Ces signes, sans doute, ne sauroient être exactement les mêmes, partant de principes si différens : mais enfin ce sont également des signes de joie, et leurs différences sensibles ne sont assurément pas proportionnelles à celles des mouvemens qu'ils excitent en moi.

Ceux de douleur et de peine me sont encore plus sensibles, au point qu'il m'est impossible de les soutenir, sans être agité moi-même d'émotions peut-être encore plus vives que celles qu'ils représentent. L'imagination, renforçant la sensation, m'identifie avec l'être souffrant, et me donne souvent plus d'angoisse qu'il n'en sent lui-même. Un visage mécontent est encore un spectacle qu'il m'est impossible de soutenir, surtout si j'ai lieu de penser que ce mécontentement me regarde. Je ne saurois dire combien l'air grognard et maussade des valets qui servent en rechignant m'a arraché d'écus dans les maisons où j'avois autrefois la sottise de me laisser entraîner, et où les domestiques m'ont toujours fait payer bien chèrement l'hospitalité des maîtres.   Toujours trop affecté des objets sensibles, et surtout de ceux qui portent signe de plaisir ou de peine, de bienveillance ou d'aversion, je me laisse entraîner par ces impressions extérieures, sans pouvoir jamais m'y dérober autrement que par la fuite.   Un signe, un geste, un coup d'œil d'un inconnu, suffit pour troubler mes plaisirs ou calmer mes peines.   Je ne suis à moi que quand je suis seul ; hors de là, je suis le jouet de tous ceux qui m'entourent.

Je vivois jadis avec plaisir dans le monde, quand je ne voyois dans tous les yeux que bienveillance, ou, tout au pis, indifférence dans ceux à qui j'étois inconnu ; mais aujourd'hui qu'on ne prend pas moins de peine à montrer mon visage au peuple qu'à lui masquer mon naturel, je ne puis mettre le pied dans la rue sans m'y voir entouré d'objets déchirans.   Je me hâte de gagner à grands pas la campagne ; sitôt que je vois la verdure, je commence à respirer.   Faut-il s'étonner si j'aime la solitude ?   Je ne vois qu'animosité sur les visages des hommes, et la nature me rit toujours.

Je sens pourtant encore, il faut l'avouer, du plaisir à vivre au milieu des hommes, tant que mon visage leur est inconnu. Mais c'est un plaisir qu'on ne me laisse guères.   J'aimois encore, il y a quelques années, à traverser les villages, et à voir au matin les laboureurs raccommoder leurs fléaux, ou les femmes sur leur porte avec leurs enfans.   Cette vue avoit je ne sais quoi qui touchoit mon cœur.   Je m'arrêtois quelquefois, sans y prendre garde, à regarder les petits manèges de ces bonnes gens, et je me sentois soupirer sans savoir pourquoi.   J'ignore si l'on m'a vu sensible à ce petit plaisir, et si l'on a voulu me l'ôter encore ; mais au changement que j'aperçois sur les physionomies à mon passage, et à l'air dont je suis regardé, je suis bien forcé de comprendre qu'on a pris grand soin de m'ôter cet incognito.   La même chose m'est arrivée d'une façon plus marquée encore aux Invalides.   Ce bel établissement m'a toujours intéressé. Je ne vois jamais sans attendrissement et vénération ces

groupes de bons vieillards qui peuvent dire comme ceux de
Lacédémone :

> Nous avons été jadis
> Jeunes, vaillans et hardis.

Une de mes promenades favorites étoit autour de l'École
militaire, et je rencontrois avec plaisir çà et là quelques
Invalides qui, ayant conservé l'ancienne honnêteté militaire,
me saluoient en passant. Ce salut, que mon cœur leur
rendoit au centuple, me flattoit, et augmentoit le plaisir que
j'avois à les voir. Comme je ne sais rien cacher de ce qui
me touche, je parlois souvent des Invalides, et de la façon
dont leur aspect m'affectoit. Il n'en fallut pas davantage.
Au bout de quelque tems je m'aperçus que je n'étois plus un
inconnu pour eux, ou plutôt que je le leur étois bien davantage, puisqu'ils me voyoient du même œil que fait le public.
Plus d'honnêteté, plus de salutations. Un air repoussant,
un regard farouche, avoient succédé à leur première urbanité.
L'ancienne franchise de leur métier ne leur laissant pas
comme aux autres couvrir leur animosité d'un masque
ricaneur et traître, ils me montrent tout ouvertement la plus
violente haine ; et tel est l'excès de ma misère, que je suis
forcé de distinguer dans mon estime ceux qui me déguisent
le moins leur fureur.

Depuis lors je me promène avec moins de plaisir du côté
des Invalides : cependant, comme mes sentimens pour eux
ne dépendent pas des leurs pour moi, je ne vois jamais sans
respect et sans intérêt ces anciens défenseurs de leur patrie ;
mais il m'est bien dur de me voir si mal payé de leur part
de la justice que je leur rends. Quand, par hasard, j'en
rencontre quelqu'un qui a échappé aux instructions communes, ou qui, ne connoissant pas ma figure, ne me montre
aucune aversion, l'honnête salutation de ce seul-là me
dédommage du maintien rébarbatif des autres. Je les oublie
pour ne m'occuper que de lui, et je m'imagine qu'il a une de
ces âmes comme la mienne, où la haine ne sauroit pénétrer.
J'eus encore ce plaisir l'année dernière, en passant l'eau pour
m'aller promener à l'île aux Cygnes. Un pauvre vieux
Invalide, dans un bateau, attendoit compagnie pour tra-

verser.   Je me présentai ; je dis au batelier de partir.   L'eau
étoit forte et la traversée fut longue.   Je n'osois presque
pas adresser la parole à l'Invalide, de peur d'être rudoyé
et rebuté comme à l'ordinaire ;   mais son air honnête me
rassura.   Nous causâmes.   Il me parut homme de sens et
de mœurs.   Je fus surpris et charmé de son ton ouvert et
affable.   Je n'étois pas accoutumé à tant de faveur.   Ma
surprise cessa quand j'appris qu'il arrivoit tout nouvellement de province.   Je compris qu'on ne lui avoit pas encore
montré ma figure et donné ses instructions.   Je profitai de cet
incognito pour converser quelques momens avec un homme,
et je sentis, à la douceur que j'y trouvois, combien la rareté
des plaisirs les plus communs est capable d'en augmenter
le prix.   En sortant du bateau, il préparoit ses deux pauvres
liards.   Je payai le passage, et le priai de les resserrer, en
tremblant de le cabrer.   Cela n'arriva point ; au contraire,
il parut sensible à mon attention, et surtout à celle que
j'eus encore, comme il étoit plus vieux que moi, de lui aider
à sortir du bateau.   Qui croiroit que je fus assez enfant pour
en pleurer d'aise ?   Je mourois d'envie de lui mettre une
pièce de vingt-quatre sols dans la main pour avoir du tabac ;
je n'osai jamais.   La même honte qui me retint m'a souvent
empêché de faire de bonnes actions qui m'auroient comblé
de joie, et dont je ne me suis abstenu qu'en déplorant mon
imbécillité.   Cette fois, après avoir quitté mon vieux
Invalide, je me consolai bientôt en pensant que j'aurois,
pour ainsi dire, agi contre mes propres principes, en mêlant
aux choses honnêtes un prix d'argent qui dégrade leur
noblesse et souille leur désintéressement.   Il faut s'empresser
de secourir ceux qui en ont besoin ; mais, dans le commerce
ordinaire de la vie, laissons la bienveillance naturelle et
l'urbanité faire chacune leur œuvre, sans que jamais rien de
vénal et de mercantile ose approcher d'une si pure source
pour la corrompre ou pour l'altérer.   On dit qu'en Hollande
le peuple se fait payer pour vous dire l'heure et pour vous
montrer le chemin.   Ce doit être un bien méprisable peuple
que celui qui trafique ainsi des plus simples devoirs de
l'humanité.

J'ai remarqué qu'il n'y a que l'Europe seule où l'on vende l'hospitalité. Dans toute l'Asie on vous loge gratuitement. Je comprens qu'on n'y trouve pas si bien toutes ses aises. Mais n'est-ce rien que de se dire : je suis homme et reçu chez des humains ; c'est l'humanité pure qui me donne le couvert ? Les petites privations s'endurent sans peine, quand le cœur est mieux traité que le corps.

DIXIÈME PROMENADE

Aujourd'hui, jour de Pâques fleuries, il y a précisément cinquante ans de ma première connoissance avec Mme de Warens.[1] Elle avoit vingt-huit ans alors, étant née avec le siècle.[2] Je n'en avois pas encore dix-sept, et mon tempérament naissant, mais que j'ignorois encore, donnoit une nouvelle chaleur à un cœur naturellement plein de vie. S'il n'étoit pas étonnant qu'elle conçût de la bienveillance pour un jeune homme vif, mais doux et modeste, d'une figure assez agréable, il l'étoit encore moins qu'une femme charmante, pleine d'esprit et de grâces, m'inspirât, avec la reconnoissance, des sentimens plus tendres que je n'en distinguois pas. Mais ce qui est moins ordinaire est que ce premier moment décida de moi pour toute ma vie, et produisit, par un enchaînement inévitable, le destin du reste de mes jours. Mon âme, dont mes organes n'avoient point développé les plus précieuses facultés, n'avoit encore aucune forme déterminée. Elle attendoit, dans une sorte d'impatience, le moment qui devoit la lui donner, et ce moment, accéléré par cette rencontre, ne vint pourtant pas si tôt ; et, dans la simplicité de mœurs que l'éducation m'avoit donnée, je vis longtems prolonger pour moi cet état délicieux, mais rapide, où l'amour et l'innocence habitent le même cœur. Elle m'avoit éloigné. Tout me rappeloit à elle. Il y fallut revenir. Ce retour fixa ma destinée, et longtems encore avant de la posséder je ne vivois plus qu'en elle et pour elle. Ah ! si j'avois suffi à son cœur comme elle suffisoit au mien !

Quels paisibles et délicieux jours nous eussions coulés ensemble ! Nous en avons passé de tels ; mais qu'ils ont été courts et rapides, et quel destin les a suivis ! Il n'y a pas de jour où je ne me rappelle avec joie et attendrissement cet unique et court tems de ma vie où je fus moi pleinement, sans mélange et sans obstacle, et où je puis véritablement dire avoir vécu. Je puis dire à peu près comme ce préfet du prétoire qui, disgracié sous Vespasien,[1] s'en alla finir paisiblement ses jours à la campagne : « J'ai passé soixante et dix ans sur la terre, et j'en ai vécu sept. » Sans ce court, mais précieux espace, je serois resté peut-être incertain sur moi ; car, tout le reste de ma vie, faible [2] et sans résistance, j'ai été tellement agité, ballotté, tiraillé par les passions d'autrui, que, presque passif dans une vie aussi orageuse, j'aurois peine à démêler ce qu'il y a du mien dans ma propre conduite, tant la dure nécessité n'a cessé de s'appesantir sur moi. Mais durant ce petit nombre d'années, aimé d'une femme pleine de complaisance et de douceur, je fis ce que je voulois faire, je fus ce que je voulois être, et, par l'emploi que je fis de mes loisirs, aidé de ses leçons et de son exemple, je sus donner à mon âme, encore simple et neuve, la forme qui lui convenoit davantage et qu'elle a gardée toujours. Le goût de la solitude et de la contemplation naquit dans mon cœur avec les sentimens expansifs et tendres faits pour être son aliment. Le tumulte et le bruit les resserrent et les étouffent ; le calme et la paix les raniment et les exaltent. J'ai besoin de me recueillir pour aimer. J'engageai Maman à vivre à la campagne. Une maison isolée, au penchant d'un vallon, fut notre asile, et c'est là que, dans l'espace de quatre ou cinq ans, j'ai joui d'un siècle de vie et d'un bonheur pur et plein, qui couvre de son charme tout ce que mon sort présent a d'affreux. J'avois besoin d'une amie selon mon cœur, je la possédois. J'avois désiré la campagne, je l'avois obtenue. Je ne pouvois souffrir l'assujettissement, j'étois parfaitement libre, et mieux que libre, car, assujetti par mes seuls attachemens, je ne faisois que ce que je voulois faire. Tout mon tems étoit rempli par des soins affectueux, ou par des occupations champêtres. Je ne désirois rien que la

continuation d'un état si doux ; ma seule peine étoit la
crainte qu'il ne durât pas longtems, et cette crainte, née de
la gêne de notre situation, n'étoit pas sans fondement.   Dès
lors je songeai à me donner en même tems des diversions sur
cette inquiétude, et des ressources pour en prévenir l'effet.
Je pensai qu'une provision de talens étoit la plus sûre ressource contre la misère, et je résolus d'employer mes loisirs
à me mettre en état, s'il étoit possible, de rendre un jour
à la meilleure des femmes l'assistance que j'en avois
reçue.   .   .   .   .

FIN

*alors bonheur conventionnel
préférable au présent ? P88.*

NOTES

Le texte que nous publions est celui de l'édition originale établi d'après l'édition Van Bever. Nous y avons corrigé quelques leçons fautives. (Voir p. 40, n. 1 ; p. 55, n. 1 ; p. 59, n. 1 ; p. 101, n. 1 ; p. 104, n. 1 ; p. 110, n. 2). Les variantes du manuscrit sont citées d'après R. Osmont, « Contribution à l'étude psychologique des *Rêveries du Promeneur solitaire* » (*Annales de la société Jean-Jacques Rousseau*, t. XXIII, 1934) et A. Monglond, *Vies préromantiques*, 1925.

La Bibliothèque de Neuchâtel possède une copie autographe des *Rêveries* I à VII (manuscrit 7882) et un brouillon des *Rêveries* VIII à X (manuscrit 7883).

PREMIÈRE PROMENADE

Page 3, note 1. Allusion aux persécutions qui suivirent la condamnation de l'*Émile* par le Parlement de Paris, le 9 juin 1762. Voir ci-dessous, p. 122.

P. 4, n. 1. Cf. *Premier Dialogue*, Œuvres, Hachette, t. IX, p. 156, « Quoi, c'est par bonté, par considération, par bienveillance qu'on rend cet infortuné le jouet du public, la risée de la canaille, l'horreur de l'univers : qu'on le prive de toute société humaine, qu'on l'étouffe à plaisir dans la fange, qu'on s'amuse à l'enterrer tout vivant.»

P. 5, n. 1. *Un événement aussi triste qu'imprévu.* On sait que Rousseau essaya sans succès de déposer à Notre-Dame le manuscrit des *Dialogues* (24 février 1776).

P. 8, n. 1. Voir la *Troisième lettre à Malesherbes* (26 janvier 1762) : « Quels temps croiriez-vous, Monsieur, que je me rappelle le plus souvent et le plus volontiers dans mes rêves ? Ce ne sont point les plaisirs de ma jeunesse : ils furent trop rares, trop mêlés d'amertume, et sont déjà trop loin de moi. Ce sont ceux de ma retraite, ce sont mes promenades solitaires, ce sont ces jours rapides, mais délicieux, que j'ai passés tout entiers avec moi seul, avec ma bonne et simple gouvernante, avec mon chien bien-aimé, ma vieille chatte, avec les oiseaux de la campagne et les biches de la forêt, avec la nature entière et son inconcevable auteur.»

DEUXIÈME PROMENADE

P. 13, n. 1. Le chien et la voiture appartenaient à M. de Saint-Fargeau, président au Parlement.

P. 15, n. 1. Nous avons de cet accident des récits contra-dictoires Bernardin de Saint-Pierre et Corancez viennent appuyer celui de Rousseau. Voir : Bernardin de Saint-Pierre, *La Vie et les ouvrages de J.-J. Rousseau*, édition critique établie par M. Souriau, Hachette, 1907, pp. 48–9 ; Corancez, *Journal de Paris*, an VI, t. II, nᵒˢ 259 à 261 ; *La Correspondance de Grimm*, édition M. Tour-neux, t. X ; *La Correspondance de Métra*. Cf. Plan, *J.-J. Rousseau raconté par les gazettes de son temps*, pp. 122–4 ; Stanislas de Girardin, *Journal et Souvenirs*, t. I ; Rutlidge, *Premier et second voyages de Milord de ... à Paris*, 1777, t. II ; Taillefer, *Tableau historique et critique des littérateurs français*, 1785, t. IV ; Ustéri et Ritter, *Lettres inédites de Mᵐᵉ de Staël à J.-H. Meister* ; Sébastien Mercier, *Tableau de Paris*, 1782, t. I, p. 69.

Rousseau s'est peut-être souvenu du récit que Montaigne nous a laissé de ses impressions après sa chute de cheval (*Essais*, liv. II, ch. VI).

P. 15, n. 2. M. Lenoir, lieutenant général de police, selon la copie autographe des sept premières *Rêveries*, conservée à Neuchâtel.

P. 16, n. 1. Madame la Présidente d'Ormoy, auteur des *Malheurs de la jeune Émilie* (Paris, 1777).

P. 17, n. 1. Dans le *Courrier d'Avignon* du mardi 3 décembre 1776, on lit : « M. Rousseau, qui se promène souvent seul à la campagne, a été renversé il y a quelques jours par un de ces chiens danois qui précèdent les équipages lestes ; on dit qu'il est très malade de cette chute et on ne peut trop déplorer son sort d'avoir été écrasé par des chiens. Voilà de belles réflexions à faire sur les vicissitudes des choses humaines ! »

Le *Courrier* du vendredi 20 décembre 1776 ajoute : « M. Jean-Jacques Rousseau est mort des suites de sa chute. Il a vécu pauvre, il est mort misérable ; la singularité de sa destinée l'a accompagné jusqu'au tombeau. Nous sommes fâchés de ne pouvoir parler des talents de cet écrivain éloquent ; nos lecteurs doivent sentir que l'abus qu'il en a fait nous impose ici le plus rigoureux silence. Il y a tout lieu de croire que le public ne sera pas privé de sa vie et qu'on y trouvera jusqu'au nom du chien qui l'a tué. »

Voltaire écrivait à Florian, le 26 décembre 1776 : « Jean-Jacques a très bien fait de mourir. On prétend qu'il n'est pas vrai que ce soit un chien qui l'ait tué ; il est guéri des blessures que son camarade le chien lui avait faites ; mais on dit que le 12 décembre il s'avisa de faire l'Escalade dans Paris, avec un vieux Genevois nommé Romilly ; il mangea comme un diable, et s'étant donné une indigestion, il mourut comme un chien. C'est peu de chose qu'un philosophe. »

P. 18, n. 1. Il est difficile de ne pas songer au monologue de Figaro : « Pourvu que je ne parle en mes écrits ni de l'autorité, ni du culte, ni de la politique ni de la morale, ni des gens en place, ni des corps en crédit, ni de l'Opéra, ni des autres spectacles, ni de personne qui tienne à quelque chose, je puis tout imprimer librement, sous l'inspection de deux ou trois censeurs » (Beau-marchais, *Le Mariage de Figaro*, Acte V, scène iii).

TROISIÈME PROMENADE

P. 23, n. 1. Le 18ᵉ volume des *Œuvres de J.-J. Rousseau* (à Paris, chez Defer de Maisonneuve ... de l'imprimerie de Didot le Jeune, 1793), publié en 1800, donne la leçon *vouloir.*

P. 23, n. 2. Celle de caissier chez M. de Francueil. Cf. *Confessions*, livre VIII.

P. 24, n. 1. Variante fournie par l'édition de Didot le Jeune : *gloriole.*

P. 27, n. 1. Cet ouvrage répondait en effet aux aspirations d'une génération romantique.

P. 31, n. 1. Allusion à Voltaire.

QUATRIÈME PROMENADE

P. 33, n. 1. L'abbé Rozier, selon le manuscrit conservé à Neuchâtel. Sur les rapports de Rousseau et de François Rozier, voir Arsène Thiébaud de Berneaud, *Éloge historique de François Rozier, restaurateur de l'agriculture française*, Paris, 1833, pp. 34–6.

P. 33, n. 2. Rousseau y reconnut sans doute la devise *vitam impendere vero* qu'il avait fait graver en cachet et que l'on retrouve parfois en tête de ses lettres.

P. 34, n. 1. Il s'agit du vol d'un ruban dont Rousseau laissa retomber la faute sur la servante Marion. Cf. *Confessions*, livre II.

P. 39, n. 1. Ouvrage de Montesquieu.

P. 40, n. 1. *ne s'en sont*, selon l'édition Van Bever.

CINQUIÈME PROMENADE

P. 50, n. 1. Voir *Confessions*, livre XII. Comme le pasteur Montmolin l'avait fait chasser de Môtiers-Travers, Rousseau se réfugia dans l'île de Saint-Pierre, en territoire bernois, où il avait déjà passé une dizaine de jours en juillet 1765. Il s'installa chez le receveur Engel le 12 septembre, mais dut partir le 25 octobre sur l'ordre du Sénat bernois.

P. 50, n. 2. Dans cette acception le mot « romantique » se dit des lieux, des paysages qui rappellent à l'imagination les descriptions des poèmes et des romans (Littré). Selon A. François (« Romantique », *Annales J.-J. Rousseau*, t. V, p. 221), « romantique » signifiait plutôt « tranquille et solitaire » que « farouche ou sauvage. »

P. 53, n. 1. Ouvrage de Linné publié en 1735.

P. 55, n. 1. *lacet de ses rivages*, dans l'édition Van Bever, G. Crès et Cie, 1913 (réimprimée en 1927) et dans celle de la Pléiade (N.R.F., 1933).

P. 55, n. 2. Rousseau se laisse aller ici à une syntaxe qui n'est peut-être pas irréprochable, mais à ce prix il obtient un effet rythmique qui seul importe.

P. 55, n. 3. Le *tortillage moderne*, c'est la musique des Rameau et des Glück à laquelle Rousseau préfère des mélodies plus simples.

P. 56, *n.* 1.   Voir la *Nouvelle Héloïse*, 6ᵉ partie, lettre 8 : « Tant qu'on désire, on peut se passer d'être heureux ; on s'attend à le devenir ; si le bonheur ne vient point, l'espoir se prolonge, et le charme de l'illusion dure autant que la passion qui le cause.   Ainsi cet état se suffit à lui-même, et l'inquiétude qu'il donne est une sorte de jouissance qui supplée à la réalité, qui vaut mieux peut-être.   Malheur à qui n'a plus rien à désirer !   Il perd, pour ainsi dire, tout ce qu'il possède.   On jouit moins de ce qu'on obtient que de ce qu'on espère, et l'on n'est heureux qu'avant d'être heureux. En effet, l'homme avide et borné, fait pour tout vouloir et peu obtenir, a reçu du ciel une force consolante qui rapproche de lui tout ce qu'il désire, qui le soumet à son imagination, qui le lui rend présent et sensible, qui le lui livre en quelque sorte, et, pour lui rendre cette imaginaire propriété plus douce, le modifie au gré de sa passion.   Mais tout ce prestige disparaît devant l'objet même ; rien n'embellit plus cet objet aux yeux du possesseur ; on ne se figure point ce qu'on voit ; l'imagination ne pare plus rien de ce qu'on possède ; l'illusion cesse où commence la jouissance.   Le pays des chimères est en ce monde le seul digne d'être habité ; et tel est le néant des choses humaines, qu'hors l'Être existant par lui-même il n'y a rien de beau que ce qui n'est pas. »

Voir aussi la *Troisième lettre à Malesherbes* : « Quand tous mes rêves se seraient tournés en réalités, ils ne m'auraient pas suffi : j'aurais imaginé, rêvé, désiré encore.   Je trouvais en moi un vide inexplicable, que rien n'aurait pu remplir, un certain élancement de cœur vers une autre sorte de jouissance, dont je n'avais pas d'idée et dont pourtant je sentais le besoin.   Hé bien, Monsieur, cela même était jouissance, puisque j'en étais pénétré d'un sentiment très vif et d'une tristesse attirante que je n'aurais pas voulu ne pas avoir. »

P. 58, *n.* 1.   Voir les *Confessions*, livre XII : « Enfin, à force de me livrer à ces réflexions, et aux pressentiments inquiétants des nouveaux orages toujours prêts à fondre sur moi, j'en vins à désirer, mais avec une ardeur incroyable, qu'au lieu de tolérer seulement mon habitation dans cette île (l'île de Saint-Pierre), on me la donnât pour prison perpétuelle ; et je puis jurer que s'il n'eût tenu qu'à moi de m'y faire condamner, je l'aurais fait avec la plus grande joie, préférant mille fois la nécessité d'y passer le reste de ma vie, au danger d'en être expulsé. »   Voir aussi la lettre à M. de Graffenried (20 octobre 1765) : « Dans cette extrémité, je ne vois pour moi qu'une seule ressource, et, quelque effrayante qu'elle paraisse, je la prendrai non seulement sans répugnance, mais avec empressement, si Leurs Excellences veulent bien y consentir ; c'est qu'il leur plaise que je passe en prison le reste de mes jours dans quelqu'un de leurs châteaux, ou tel autre lieu de leurs États qu'il leur semblera bon de choisir.   J'y vivrai à mes dépens et je donnerai sûreté de n'être jamais à leur charge ; je me soumets à n'avoir ni papier ni plume, ni aucune communication au dehors, si ce n'est pour l'absolue nécessité et par le canal de ceux qui seront chargés de moi ; seulement qu'on me laisse, avec l'usage de quelques livres, la liberté de me promener quelquefois dans un jardin, et je suis content. »

P. 58, *n.* 2. Qui font rêver.

P. 59, *n.* 1. *commenceroit* dans l'édition Van Bever.

SIXIÈME PROMENADE

P. 65, *n.* 1. La copie autographe de Neuchâtel (manuscrit 7882) donne ici le passage suivant qui a été supprimé par Du Peyrou et tous les éditeurs qui lui ont succédé : « C'est ainsi que le Comte des Charmettes, pour qui j'eus une si tendre estime et qui m'aimait si sincèrement, a fait ses parents évêques en devenant l'un des ouvriers des manœuvres choiseuliennes ; c'est ainsi que le bon abbé Palais, jadis mon obligé et mon ami, brave et honnête garçon dans sa jeunesse s'est... (mot illisible) en France, en devenant traître et faux à mon égard, comme tous les autres ; et par cela seul que les temps sont changés, les hommes ont changé comme eux... »

Rousseau met un renvoi aux mots « à mon égard » et continue sa liste dans la marge : « c'est ainsi que l'abbé de Binis que j'avais pour sous-secrétaire à Venise, et qui me marqua toujours l'attachement et l'estime que ma conduite lui dut naturellement inspirer, changea de langage et d'allure à propos pour son intérêt, a su gagner ...(mot illisible) des Vénitiens aux dépens de sa conscience et de la vérité. Moultou lui-même a changé du blanc au noir. De vrais et francs qu'ils étaient d'abord, devenus ce qu'ils sont, ils ont fait comme tous les autres et par cela seul que les temps sont changés...» Voir Robert Osmont, ouvr. cité, pp. 36–40 et 122–3.

SEPTIÈME PROMENADE

P. 82, *n.* 1. Après un sermon du pasteur Montmolin les habitants de Môtiers, indignés contre Rousseau, lancèrent des pierres aux fenêtres de sa maison (1er septembre, 1765).

P. 83, *n.* 1. Dans l'édition de 1782 (*Œuvres complètes*, t. X, p. 479), on lit cette note : « C'est sans doute la ressemblance des noms qui a entraîné M. Rousseau à appliquer l'anecdote du libraire à Chasseron au lieu de Chasseral, autre montagne très élevée sur les frontières de la Principauté de Neuchâtel.»

P. 83, *n.* 2. Le récit de Bovier, composé vers 1802, diffère de celui de Rousseau. Cf. E. Jovy, *Un document inédit sur le séjour de J.-J. Rousseau à Grenoble en 1768*, Vitry-le-François, 1898, pp. 42–3. Voir aussi *Journal de Monsieur*, 1783, t. VI, pp. 274–5.

HUITIÈME PROMENADE

P. 87, *n.* 1. *prescription* dans l'édition Van Bever.

NEUVIÈME PROMENADE

P. 96, *n.* 1. Il s'agit de deux lettres de d'Alembert à Condorcet publiées en 1777. Cf. *Œuvres posthumes de d'Alembert*, Paris, Ch. Pongens, t. I, pp. 243–71.

Mme Geoffrin mourut le 6 octobre 1777.

P. 97, n. 1. Rousseau est revenu à plusieurs reprises sur cette importante question. L'abandon de ses enfants était en effet un des grands remords de sa vie. Voir *Les Rêveries,* quatrième promenade, p. 44 ; *Les Confessions,* livre VIII ; *L'Émile,* livre I ; *Lettre à Madame de Francueil,* 20 avril 1751 ; *Lettre à Mme de Luxembourg,* 12 juin 1761 ; *Lettre à Mme de Chenonceaux,* 17 janvier 1770 ; *Lettre à M. de Saint-Germain,* 26 février 1770.

Rousseau juge sur ses sentiments et non sur ses actes.

P. 101, n. 1. *pénétrèrent* dans l'édition Van Bever.

P. 104, n. 1. *inventaire* dans l'édition Van Bever.

DIXIÈME PROMENADE

P. 109, n. 1. Rousseau rencontra Mme de Warens à Annecy en 1728 ; la dixième promenade fut donc écrite le 12 avril 1778. Elle reprend le thème des livres III–VI des *Confessions,* mais les souvenirs, poétisés, s'estompent dans la brume.

P. 109, n. 2. En 1699.

P. 110, n. 1. Rousseau confond Vespasien avec Adrien. Le préfet en question se nommait Similis. Voir *Dion Cassius,* l. LXIX, ch. XIX.

Dans sa *Troisième lettre à Malesherbes* (26 janvier 1762) Rousseau avait écrit : « Mes maux sont l'ouvrage de la nature, mais mon bonheur est le mien. Quoi qu'on en puisse dire, j'ai été sage, puisque j'ai été heureux autant que ma nature m'a permis de l'être : je n'ai point été chercher ma félicité au loin, je l'ai cherchée auprès de moi et l'y ai trouvée. Spartien dit que Similis, courtisan de Trajan, ayant sans aucun mécontentement quitté la Cour et tous ses emplois pour aller vivre paisiblement à la campagne, fit mettre ces mots sur sa tombe : *J'ai demeuré soixante et seize ans sur la terre et j'en ai vécu sept.* Voilà ce que je puis dire à quelque égard, quoique mon sacrifice ait été moindre : je n'ai commencé de vivre que le 9 Avril 1756 (date de l'installation à l'Ermitage). »

P. 110, n. 2. Leçon du manuscrit qu'aucun des éditeurs de Rousseau n'a retenue. L'édition originale et toutes celles qui l'ont suivie donnent *facile.*

CHRONOLOGIE DE LA VIE ET DES ŒUVRES DE ROUSSEAU [1]

1712–1778.

1712. Naissance à Genève de Jean-Jacques Rousseau, le 28 juin. Mort de sa mère, le 7 juillet.

1722. Rousseau est mis en pension chez le pasteur Lambercier, à Bossey, près de Genève.

1724–5. En apprentissage chez Masseron, greffier de Genève.

1725–8. En apprentissage chez le graveur Du Commun.

1728. Au retour d'une longue excursion, Rousseau trouve les portes de la ville fermées, et couche sur les glacis (14 mars). Il se rend à Confignon, où il est reçu par le curé, M. de Pontverre ; puis à Annecy, où il rencontre Mme de Warens le 21 mars, Dimanche des Rameaux. Le 24 mars, il se rend à Turin à pied par le Mont-Cenis et entre à l'hospice du Saint-Esprit (12 avril). Converti au catholicisme (23 avril), il quitte l'hospice (juin) et entre au service de Mme de Vercellis (août). Mort de Mme de Vercellis en octobre de la même année. Affaire du ruban volé. Rousseau entre au service du comte de Gouvon (mi-décembre).

1729. Il s'installe à Annecy auprès de Mme de Warens (juin). Elle a pour domestique Claude Anet. Rousseau entre au séminaire des Lazaristes où il reste deux mois (août). Il devient pensionnaire à la maîtrise de la cathédrale (octobre).

1730. A Belley et à Lyon avec M. Le Maître qu'il quitte bientôt pour retourner à Annecy. Il se rend à Fribourg en passant par Genève et Nyon, s'arrête à Lausanne, où il donne des leçons de musique sous le nom de Vaussore de Villeneuve (juillet) ; à Neuchâtel (novembre-avril 1731).

1731. Interprète de l'archimandrite Athanasius Paulus (avril). Il arrive à Paris où il obtient le poste de gouverneur (juin) ; à Lyon (août) ; à Chambéry, où il retrouve Mme de Warens (septembre). Il entre au cadastre de Savoie.

1732. Rousseau donne des leçons de musique (à partir de juillet).

---

[1] Pour une chronologie plus complète, consulter : Louis J. Courtois, « Chronologie critique de la vie et des œuvres de Jean-Jacques Rousseau », *Annales de la société Jean-Jacques Rousseau*, t. XV, 1923.

1734. A Besançon, à la maîtrise de la cathédrale (juin). A Chambéry (juillet).

1736. Premier séjour aux Charmettes. Rousseau s'adonne à la lecture, traduit du latin. Rousseau et Mme de Warens rentrent à Chambéry (hiver).

1737. Aux Charmettes. « Une chanson mise en musique par M. Rousseau, à Chambéry » paraît dans le *Mercure de France* (juin). Rousseau visite Genève (juillet), Montpellier (11 septembre), Grenoble où la représentation d'*Alzire*, tragédie de Voltaire, l'émeut (12 septembre) ; il rencontre Mme de Larnage ; il visite Valence, le Pont du Gard (21 septembre). Il s'établit à Montpellier le 22 septembre.

1738. En février, il quitte Montpellier pour rentrer à Chambéry où il trouve J.-S.-R. Wintzenried de Courtilles auprès de Mme de Warens. Il se réfugie aux Charmettes, où il reste un an, le plus souvent seul, à travailler et à écrire. Il cherche à publier dans le *Mercure de France* une *Réponse* à un mémoire intitulé : *Si le monde que nous habitons est une sphère ou un sphéroïde* (septembre).

1739. *Le Verger de Mme la baronne de Warens*, Londres.

1740. A Lyon, précepteur chez M. de Mably (avril). Il rédige un *Projet pour l'éducation de M. de Sainte-Marie* (décembre).

1741. A Chambéry (mai). A Lyon (été). A Chambéry (hiver), où il s'occupe de son système de notation musicale. *La découverte du Nouveau Monde*, tragédie.

1742. Aux Charmettes, où il étudie. Il se rend à Lyon en juillet, puis à Paris, où il lit son *Projet concernant de nouveaux signes pour la musique* devant une commission de l'Académie des Sciences (22 août). L'Académie lui décerne un certificat.

1743. *Dissertation sur la musique moderne*, Paris. Rousseau fréquente le salon de Mme Dupin. Installé près de la rue Plâtrière, il étudie la chimie. Fluxion de poitrine (avril-juin). Rousseau commence son opéra *Les Muses Galantes*, devient secrétaire de M. de Montaigu, ambassadeur de France à Venise, se rend à Venice en passant par Lyon, Chambéry, Avignon, Marseille, Gênes, Milan (10 juillet au 4 septembre).

1744. Retour à Paris le 22 août par Vérone, Côme, le Simplon, Lausanne, Nyon, Genève, Lyon. Rousseau s'installe chez I.-E. d'Altuna, ami espagnol qu'il avait rencontré à Venise.

1745. Rousseau fait la connaissance de Thérèse Levasseur. Il retouche la musique des ballets des *Fêtes de Ramire*, pièce de Voltaire.

1746-9. A Chenonceaux, chez les Dupin, où il est secrétaire. Il fait la connaissance de Mme d'Épinay et de sa belle-sœur Mme d'Houdetot, et se lie d'amitié avec Diderot. Il compose l'*Allée de Sylvie* (1746). Thérèse donne un premier enfant à Rousseau. Cet enfant, ainsi que les quatre autres qui naquirent au cours des années suivantes, furent déposés à l'Hospice des Enfants-Trouvés (hiver 1746).

1749. Rousseau rédige ses articles sur la musique destinés à l'*Encyclopédie* et apprend le grec. Sa comédie *L'Engagement téméraire* est représentée. Il se lie d'amitié avec Grimm (août). Visite à Diderot et rencontre avec d'Alembert. Rousseau lit le sujet proposé par l'Académie de Dijon pour le prix de morale de 1750, et écrit la *prosopopée de Fabricius*.

1750. L'Académie de Dijon couronne (9 juillet) le discours de Rousseau qui sera publié à Paris en novembre : *Si le rétablissement des sciences et des arts a contribué à épurer les mœurs*.

1751. Rousseau exerce le métier de copiste de musique. Il publie sa *Réponse au roi de Pologne*. Lettre à Mme de Francueil où il explique pourquoi il a mis ses enfants aux Enfants-Trouvés (20 avril).

1752. *Réponse à M. Borde* (avril). *Le Devin du village* est joué devant le roi à Fontainebleau (18 octobre). Rousseau part pour ne pas être présenté au roi. Le Théâtre-Français donne une représentation de *Narcisse ou l'Amant de lui-même*, comédie (18 décembre).

1753. *Lettre d'un symphoniste de l'Académie royale de musique à ses camarades de l'orchestre*. *Lettre sur la musique française*, où il prône la musique italienne au détriment de la française et se fait par là de nombreux ennemis.

1754. Rousseau rédige son *Discours sur l'origine et les fondements de l'inégalité parmi les hommes*, qu'il dédie à la République de Genève (ouvrage publié à Amsterdam en 1755). Il se rend à Genève en juin, rentre dans l'Église nationale de Genève et redevient citoyen genevois (1er août). A Paris avec Thérèse (10 octobre).

1755. Le Tome V de l'*Encyclopédie* paraît en novembre. Il renferme l'article *Économie politique* publié séparément à Genève en 1758 (et à Lausanne en 1764).

1756. Rousseau s'installe à l'Ermitage dans la forêt de Montmorency (avril). *Lettre sur la Providence* (18 août).

1757. Rousseau rédige pour Mme d'Houdetot les six *Lettres sur la vertu et le bonheur* (octobre). Rupture retentissante avec Grimm, Diderot, Mme d'Épinay en décembre. Rousseau quitte l'Ermitage et s'installe à Montmorency.

1758. Rupture avec Mme d'Houdetot (mai). La *Nouvelle Héloïse* est terminée en septembre. La *Lettre à d'Alembert sur les Spectacles* est imprimée à Amsterdam sous le titre : *Jean-Jacques Rousseau, citoyen de Genève, à M. d'Alembert, de l'Académie française, sur son article Genève, dans le septième volume de l'Encyclopédie, et particulièrement sur le projet d'établir un théâtre de comédie en cette ville* (octobre).

1759. Rousseau s'établit au *Petit-Château* de Montmorency chez le Maréchal de Luxembourg, puis à Montlouis.

1760. Il prépare *Émile*, et le *Contrat Social*.

1761. *Julie ou la Nouvelle Héloïse* (Lettres de deux amants habitant d'une petite ville au pied des Alpes), Amsterdam. *Préface en dialogue de la Nouvelle Héloïse*. *Extrait et jugement du* Projet de paix perpétuelle *de M. l'abbé de Saint-Pierre*, Amsterdam.

1762. *Lettres à M. de Malesherbes* (publiées en 1779). *Du Contrat social ou Principes du droit politique*, Amsterdam (paraît en mai ; vente interdite en France). *Émile ou de l'Éducation*, La Haye, Amsterdam (paraît le 23 mai ; confisqué par la police le 3 juin). Rousseau est décrété de prise de corps, il est prévenu à temps et quitte Montmorency pour Pontarlier (9 juin). A Yverdon, le 14 juin. *Émile* et le *Contrat social* sont saisis à Genève le 18 juin. A Môtiers-Travers (le 10 juillet), où il fait la connaissance de Milord Maréchal. Mort de Mme de Warens, à Chambéry (29 juillet). Christophe de Beaumont lance son *Mandement* par lequel il condamne l'*Émile* (28 août).

1763. *Lettre de Jean-Jacques Rousseau, citoyen de Genève, à Christophe de Beaumont, archevêque de Paris*, etc., Amsterdam. Jean-Jacques renonce à son titre de Citoyen de Genève (mai).

1764. *De l'imitation théâtrale*, Amsterdam. *Lettres écrites de la montagne*, Amsterdam. *Lettres à Butta-Foco sur la législation de la Corse* (1764-5).

1765. Les *Lettres de la Montagne* sont condamnées en Hollande, à Genève et ailleurs. Rousseau passe dix jours à l'île de Saint-Pierre (lac de Bienne) où il commence ses *Confessions*. « Lapidation » de Môtiers (septembre). Retour à l'île de Saint-Pierre qu'il est obligé de quitter six semaines plus tard. Jean-Jacques passe à Neuchâtel, à Bâle, à Strasbourg, et rentre à Paris en décembre.

1766. Rousseau et Hume se rendent en Angleterre (4 janvier). Rousseau s'établit à Chiswick, puis à Wooton Hall (mars), Rupture avec Hume (juillet). Il travaille aux *Confessions*.

1767. Retour en France (mai). Il s'installe chez le marquis de Mirabeau, puis chez le Prince de Conti (juin). Il se fait appeler Jean-Joseph ou Renou et fait passer Thérèse pour sa sœur. Le *Dictionnaire de musique* est mis en circulation (novembre).

1768. Rousseau épouse Thérèse Levasseur (30 août).

1769. A Monquin.

1770. A Lyon (avril), à Dijon, à Montbard où il est reçu par Buffon et par Daubenton (juin), à Paris (rue Plâtrière) où il se fait copiste de musique. Il termine ses *Confessions* en décembre.

1771. Les *Considérations sur le Gouvernement de Pologne et sur sa réformation projetée* sont achevées en avril 1772. Lecture des *Confessions* dans les salons. Visite de Bernardin de Saint-Pierre (août).

Lettres sur la botanique (1771–2).

1772–6.   *Dialogues de Rousseau, juge de Jean-Jacques.* Rousseau s'occupe de musique et de botanique.

1776.   Il cherche à déposer sur l'autel de Notre-Dame le manuscrit de ses *Dialogues*, mais trouve les grilles du chœur fermées (24 février). Il distribue aux passants une circulaire : *A tout Français aimant encore la justice et la vérité* (avril).

Il commence les *Rêveries du promeneur solitaire* (1ère, 2e, 3e, 4e promenades).

1777.   5e, 6e, 7e, 8e promenades.

1778.   9e, 10e promenades (12 avril). L'édition originale des *Rêveries* paraît en 1782 par les soins de Du Peyrou (La Collection complète des Œuvres de J.-J. Rousseau, Citoyen de Genève, *Genève*, 17 vol. in-4°, comprend les six premiers livres des *Confessions* et le texte intégral des *Rêveries*).

Rousseau s'installe à Ermenonville chez le marquis de Girardin, le 2 mai.

Mort de Voltaire (3 mai).

Mort de Rousseau (2 juillet). Il est inhumé dans l'Île des Peupliers, au Parc d'Ermenonville (4 juillet).

1794.   Les cendres de Voltaire et de Rousseau sont transportées au Panthéon (11 octobre–20 vendémiaire An III).

TABLE DES MATIÈRES

En Frontispice :

Reproduction d'un portrait de J.-J. Rousseau dessiné d'après le buste de Houdon par de Gault fils et gravé par P.-G. Langlois (1793)

Printed in Great Britain by
Butler & Tanner Ltd.,
Frome and London